Ein Kochbuch für Brathähnchen

100 klassische, vom Süden inspirierte Rezepte

Simon Fuchs

INHALTSVERZEICHNIS

INHALTSVERZEICHNIS 3

EINFÜHRUNG 6

In Öl gebratenes Hähnchen 7

1. Hühnchen im Bierteig 8
2. In Buttermilch gebratenes Hähnchen 10
3. Klassisches Southern Fried Chicken 12
4. Koreanisches Brathähnchen 14
5. Cajun-Brathähnchen 17
6. Huhn in einer Decke 19
7. Frittierte Zitronen-Cornish-Hühner 22
8. Knoblauch-Hähnchen-Golfbälle 24
9. Chicken Gold Nuggets 26
10. Zitronen-Hähnchenstreifen 28
11. Frittierte Flügel aus Perth 31
12. Perfektes knuspriges Brathähnchen 33
13. Echtes Southern Fried Chicken 36
14. Einfaches Brathähnchen 38
15. Im Ofen gebratenes Hähnchen nach südwestlicher Art 40
16. Hühnchen mit Mandarinenschale 42
17. Hühnchen in Sesamsauce 45
18. Chinesische gebratene Hähnchenflügel zum Mitnehmen 48
19. Karaage japanisches Brathähnchen 50
20. Einfache gebratene Hähnchenbrust 52
21. Afrikanische gebratene Hähnchenstreifen 54
22. Southern Fried Chicken mit Soße 56
23. Buttermilk Ranch Fried Chicken 58

BACKHÄHNCHEN 60

24. Klassisches ofengebratenes Hähnchen 61
25. Brasilianische Hähnchenkroketten 63
26. Würziges, im Ofen gebratenes Hähnchen 66
27. Im Ofen gebratenes Hähnchen der Buttermilk Ranch 68
28. Im Ofen gebratenes Hähnchen mit Zitronenkräutern 70
29. Im Ofen gebratenes Pekannusshähnchen 72

LUFTFRITTIERTES HÄHNCHEN 74

30. Luftfritteusen-Mandelhähnchen 75
31. Mit Caprese gefülltes Hähnchen aus der Heißluftfritteuse 77
32. Hühnchen-Chimichangas aus der Luftfritteuse 79
33. Knusprige Hähnchenschnitzel 81
34. Knusprige Hähnchenschenkel 83

35. Leckere Hähnchenkeulen 86
36. Hähnchenschenkel aus Ahorn 88
37. Parmesan-Hähnchen-Auflauf 91
38. Gebackene Hähnchenflügel 93
39. Asiatische Hähnchenkeulen 95
40. Hühnchen-Tomaten-Pilze-Auflauf 97
41. Mit Honig glasierte Hähnchenkeulen 99
42. Rosmarin-Hähnchenschenkel 101
43. Süße und würzige Hähnchenkeulen 103
44. Hähnchenauflauf 105
45. Balsamico-Hähnchen 107
46. Hühnchen mit Gemüse 109
47. Würzige Fleischbällchen 111
48. Köstliche Hähnchenkeulen 113
49. Griechischer Hähnchenauflauf 115
50. Spanischer Hähnchenauflauf 117
51. Hühnchen-Alfredo-Auflauf 119
52. Primavera-Huhn 122
53. Hähnchenschnitzel mit Käse 124
54. Chipotle-Huhn 126
55. Mit Brie gefüllte Hähnchenbrust 128
56. Knusprige Hähnchenschenkel 130
57. Panierte Hähnchenfilets 132
58. Hähnchenauflauf 134
59. Hühnchen-Reis-Auflauf 136
60. Gewürztes Brathähnchen 139
61. Geschmackvolle Hähnchenkeulen 141
62. Käsehähnchen 143
63. Würzige Hähnchenschenkel 145
64. Hähnchenschenkel mit Kräutern 147
65. Huhn mit Tomaten 149
66. Italienische Hähnchenbrust 151
67. Hähnchenbrust mit Parmesankruste 153
68. In Soja geschmorte Hähnchenflügel 155
69. Würzige Hähnchenkeulen 157
70. Süß-saure Hähnchenschenkel 159
71. Spinat-Hähnchen 161
72. Zitronen-Limetten-Hähnchen 163
73. Knusprige Hähnchenkeulen 165
74. Gebackene Hähnchenschenkel 168
75. Hähnchenpfanne 170
76. Honig-Senf-Hähnchen 172

77. Hähnchenspiesse 174

78. Knusprig gebratenes Hähnchen 177

79. Hähnchenkeulen mit Ingwer 180

80. Chicken Nuggets 182

81. Knuspriges Käsehähnchen 184

82. Ingwer-Hähnchenkeulen 186

83. Cremiger Hähnchenauflauf 188

84. Ananashuhn 191

85. Kräuterbutter-Hähnchen 193

86. Orangenhuhn 195

87. Gebratene Cajun-Hähnchenbrust 197

88. Leckere Chicken Wings 199

89. Chinesische Hähnchenkeulen 201

90. Leckere Hähnchenhäppchen 203

91. Hähnchenbrust im Speckmantel 205

92. Luftgebratenes Hähnchenfilet 207

93. Leckeres japanisches Hühnchen 209

94. Hühnchen-Pastetchen 211

95. Mariniertes Ranch-Broiled Chicken 213

96. Gebackenes Hühnchen mit Zitronenpfeffer 215

97. Hähnchen-Kartoffel-Auflauf 217

Bratreiben **219**

98. Französisches Tourtiere-Gewürz 220

99. Karibisches Curry 222

100. Cajun-Gewürzmischung 224

ABSCHLUSS **226**

EINFÜHRUNG

Sind Sie ein Fan von knusprigem, saftigem und herzhaftem Brathähnchen? Dann ist dieser ultimative Ratgeber rund um das Thema Brathähnchen genau das Richtige für Sie! Von klassischen Südstaaten-Rezepten bis hin zu internationalen Variationen bietet dieses Kochbuch alles, was Sie brauchen, um Ihr Brathähnchen-Spiel zu perfektionieren. Erfahren Sie mehr über die besten Hühnchenstücke, die verschiedenen Teige und Panaden für den perfekten Crunch und die geheimen Gewürze, mit denen Sie Ihr Brathähnchen auf die nächste Stufe heben. Sie finden Rezepte für klassisches südländisches Brathähnchen, scharfes koreanisches Brathähnchen, Buttermilch-Brathähnchen und sogar glutenfreie und Heißluftfritteuse-Optionen. Beeindrucken Sie Ihre Familie und Freunde mit Ihren neu entdeckten Brathähnchen-Fähigkeiten und genießen Sie den Komfort und die Zufriedenheit, die nur ein perfekt gebratenes Stück Hühnchen bringen kann. Also, entstauben Sie die Bratpfanne und machen Sie sich bereit, etwas Köstliches zu braten!

Brathähnchen, Südstaatler, Hausmannskost, saftig, knusprig, herzhaft, Buttermilch, koreanisch, glutenfrei, Heißluftfritteuse, Teig, Panade, Gewürze, familienfreundlich, klassisch, international, Kochtechniken, perfekter Crunch, geheime Zutaten, Hausmannskost , lecker, Fingerlecken, ultimativer Leitfaden, Rezepte, Fertigkeiten, Zufriedenheit, Bratpfanne..

In Öl gebratenes Hähnchen

1. Hühnchen im Bierteig

Zutaten

- 1 ½ Pfund Hähnchenbrusthälften ohne Knochen und Haut
- 1 ½ Tassen Allzweckmehl
- 1 Teelöffel Backpulver
- 2 Eier, geschlagen
- ½ Tasse Bier
- 1 Teelöffel Salz
- ½ Teelöffel Cayennepfeffer
- 1 Esslöffel Bohnenkraut
- Öl zum braten

Richtungen

1. Spülen Sie das Hähnchen ab und schneiden Sie es in 1-Zoll-Streifen. In einer mittelgroßen Schüssel 1 Tasse Mehl und Backpulver verrühren. Die verquirlten Eier und das Bier untermischen und beiseite stellen. Geben Sie die restliche halbe Tasse Mehl in eine kleine Schüssel oder eine braune Papiertüte, fügen Sie Salz, Cayennepfeffer und Bohnenkraut hinzu und schütteln Sie es, um es gut zu vermischen.

2. Öl in einem Schmortopf oder einer Fritteuse auf 375 °F erhitzen.

3. Geben Sie die Hähnchenstreifen in den Beutel und schütteln Sie sie gut, damit sie gleichmäßig bedeckt sind. Die bemehlten Streifen in den Teig tauchen. Einige davon nacheinander in heißem Öl in einem Schmortopf oder einer Fritteuse braten, dabei einmal wenden, bis die Beschichtung auf beiden Seiten goldbraun ist, etwa 4 bis 5 Minuten.

4. Nehmen Sie die Streifen mit einer Zange oder einem Schaumlöffel aus dem heißen Öl und halten Sie sie bis zum Servieren auf einer Platte im Ofen auf niedrigster Stufe warm.

5. Für 4–6 Personen

2. Buttermilch gebratenes Hühnchen

Zutaten

- 2 Tassen Buttermilch
- 1 ½ Teelöffel Salz
- ½ Teelöffel frisch gemahlener schwarzer Pfeffer
- 3 Pfund Brathähnchenstücke
- 1 Tasse Allzweckmehl
- Öl zum Frittieren

Richtungen

1. Buttermilch mit der Hälfte des Salzes und Pfeffers verrühren. Legen Sie das Hähnchen in einen Ziploc-Plastikbeutel und gießen Sie die Mischung über die Hähnchenstücke, wenden Sie alle Stücke um, damit sie gut bedeckt sind, und stellen Sie sie über Nacht in den Kühlschrank.

2. Öl in einem Schmortopf oder einer Fritteuse auf 365 °F erhitzen.

3. In einer mittelgroßen Schüssel das Mehl und die andere Hälfte des Salzes und Pfeffers vermischen. Lassen Sie die Marinade von den Hähnchenstücken abtropfen und bestreichen Sie die Hähnchenstücke mithilfe einer Papiertüte oder einer flachen Schüssel mit der Mehlmischung, schütteln Sie den Überschuss ab und legen Sie die Stücke in einer einzigen Schicht auf ein Blatt Wachspapier.

4. Die Hähnchenteile vorsichtig in das heiße Öl geben und bei geschlossenem Deckel 5 bis 7 Minuten garen. Nehmen Sie den Deckel ab, wenden Sie das Hähnchen und garen Sie die Stücke weitere 5 bis 7 Minuten. Nehmen Sie den Deckel ab und kochen Sie sie weitere 8 bis 10 Minuten lang, bis die Haut knusprig ist.

5. Nehmen Sie die Hähnchenteile mit einer Zange heraus und lassen Sie sie auf Papiertüchern abtropfen. Sofort auf einer vorgewärmten Platte servieren.

6. Für 4–6 Personen

3. Klassisches Southern Fried Chicken

Zutaten:
2 lbs. Hänchenstücke
1 Tasse Allzweckmehl
1 TL Salz
1 TL schwarzer Pfeffer
1 TL Paprika
1 TL Knoblauchpulver
1 TL Zwiebelpulver
1/2 TL Cayennepfeffer
2 Eier
1/4 Tasse Milch
Pflanzenöl zum Braten

Richtungen:
Hähnchenteile abspülen und trocken tupfen.
In einer flachen Schüssel Mehl, Salz, Pfeffer, Paprika, Knoblauchpulver, Zwiebelpulver und Cayennepfeffer vermischen.
In einer separaten Schüssel Eier und Milch verquirlen.
Tauchen Sie jedes Hähnchenstück in die Eimischung und dann in die Mehlmischung und bestreichen Sie es gleichmäßig.
Erhitzen Sie 2,5 cm Öl in einer tiefen Pfanne oder einem Schmortopf auf 175 °C (350 °F).
Hähnchen portionsweise 12–15 Minuten braten, bis es goldbraun und durchgegart ist.
Auf einem Gitter oder Papiertüchern abtropfen lassen.

4. Koreanisches Brathähnchen

Zutaten:

2 lbs. Chicken Wings oder Drumettes

1/2 Tasse Maisstärke

1/2 Tasse Allzweckmehl

1 TL Salz

1/2 TL schwarzer Pfeffer

1/2 TL Knoblauchpulver

1/2 TL Zwiebelpulver

1/2 TL Paprika

1/4 TL Cayennepfeffer

Pflanzenöl zum Braten

1/4 Tasse Gochujang (koreanische Chilipaste)

2 EL Sojasauce

2 EL Honig

2 EL Reisessig

2 Knoblauchzehen, gehackt

1 TL Sesamöl

1 TL Sesamkörner zum Garnieren

2 Frühlingszwiebeln, in Scheiben geschnitten, zum Garnieren

Richtungen:

Hähnchenflügel oder Hähnchenkeulen abspülen und trocken tupfen.

In einer flachen Schüssel Maisstärke, Mehl, Salz, schwarzen Pfeffer, Knoblauchpulver, Zwiebelpulver, Paprika und Cayennepfeffer vermischen.

In einer separaten Schüssel Gochujang, Sojasauce, Honig, Reisessig, gehackten Knoblauch und Sesamöl verrühren.

Erhitzen Sie 2,5 cm Öl in einer tiefen Pfanne oder einem Schmortopf auf 175 °C (350 °F).

Jedes Hähnchenstück mit der Mehlmischung bestreichen und überschüssiges Mehl abschütteln.

Hähnchen portionsweise 10–12 Minuten braten, bis es goldbraun und durchgegart ist.

Das Hähnchen in der Gochujang-Mischung wenden, bis es gut bedeckt ist.

Mit Sesamkörnern und Frühlingszwiebeln garnieren.

5. Cajun-Friedhuhn

Zutaten:

2 Pfund Hähnchenstücke
1 Tasse Allzweckmehl
1 EL Cajun-Gewürz
1 TL Salz
1/2 TL schwarzer Pfeffer
1/2 TL Knoblauchpulver
1/2 TL Zwiebelpulver
1/4 TL Cayennepfeffer
1 Tasse Buttermilch
Öl zum braten
Anweisungen:

In einer flachen Schüssel Mehl, Cajun-Gewürz, Salz, schwarzen Pfeffer, Knoblauchpulver, Zwiebelpulver und Cayennepfeffer vermischen.

Gießen Sie die Buttermilch in eine andere flache Schüssel.

3. Tauchen Sie jedes Hähnchenstück in die Buttermilch und tauchen Sie es dann in die Mehlmischung. Achten Sie darauf, dass es gleichmäßig bedeckt ist.

Öl in einer tiefen Pfanne bei mittlerer bis hoher Hitze erhitzen.

Braten Sie die Hähnchenteile 15–20 Minuten lang oder bis das Hähnchen goldbraun und durchgegart ist.

6. <u>Huhn in einer Decke</u>

Zutaten

- In Pergament eingewickeltes Hähnchen
- 4 Frühlingszwiebeln, nur grüne Spitzen
- 2 große Hähnchenbrust
- 4 Teelöffel gehackter Ingwer
- 2 Teelöffel Reiswein
- 2 Teelöffel Sojasauce
- 1 Teelöffel Salz
- ¼ Teelöffel weißer Pfeffer
- 1 Teelöffel Zucker
- 2 Teelöffel Öl
- 1 Tasse Teriyaki- oder Hoisinsauce zum Dippen
- 24 Quadrate Pergamentpapier
- Öl zum Frittieren

Richtungen

1. Schneiden Sie die Frühlingszwiebeln der Länge nach in Streifen und schneiden Sie sie dann in 1 ½ Zoll lange Streifen. Schneiden Sie dann die Hähnchenbrüste in ½ Zoll breite und 1 ½ Zoll lange Streifen.

2. Den frischen, gehackten Ingwer in eine Knoblauchpresse geben und 1 Teelöffel Ingwersaft auspressen. In einer mittelgroßen Schüssel den Ingwersaft mit Wein, Frühlingszwiebeln, Sojasauce, Salz, Pfeffer und Zucker zu einer Marinade für die Hähnchenstreifen vermischen. Lassen Sie das Hähnchen bei Zimmertemperatur in einem abgedeckten Behälter mindestens 30 Minuten lang marinieren.

3. Legen Sie ein Quadrat Pergament vor sich hin, mit einer Ecke zu Ihnen. Reiben Sie etwas Öl in die Mitte des Papiers und legen Sie ein esslöffelgroßes Stück Hähnchenfleisch und etwas Frühlingszwiebel horizontal auf das Papier, deutlich unterhalb der Mitte des abgewinkelten Quadrats.

4. Falten Sie die untere Ecke nach oben, um das Fleisch zu bedecken, dann falten Sie die linke Ecke nach rechts und die rechte Ecke nach links, sodass ein kleiner Umschlag entsteht.

Falten Sie die obere Ecke nach unten und stecken Sie sie sicher hinein. Wiederholen Sie den Vorgang mit allen Backpapierquadraten und dem Rest des Hähnchens und der Frühlingszwiebeln.

5. Erhitzen Sie das Öl in einer Fritteuse auf 375 °F.
6. Jeweils 2 oder 3 Umschläge auf jeder Seite 1 Minute lang im heißen Öl frittieren. Nehmen Sie sie mit einem Schaumlöffel oder Spatel heraus und lassen Sie sie auf Papiertüchern abtropfen.
7. Servieren Sie sie mit der Teriyaki- oder Hoisin-Sauce zum Dippen als Beilage. Jede Person bekommt zwei bis drei Umschläge auf den Teller gelegt und alle öffnen ihre Umschläge, wenn das Essen beginnt.
8. Für 10–12 Personen

7. Frittierte Zitronen-Cornish-Hühner

Zutaten

- 2 1 ½ Pfund schwere kornische Wildhühner
- ¼ Tasse frische Rosmarinblätter
- 2 Esslöffel Zitronenpfeffer
- 2 Esslöffel getrocknete Zitronenschalenkörnchen
- 1 Teelöffel Knoblauchpulver
- 2 Teelöffel Salz
- Öl zum Frittieren
- Zitronenspalten zum Servieren

Richtungen

1. Spülen Sie die Wildhühner ab, reinigen Sie sie, wischen Sie sie trocken und tupfen Sie sie innen und außen mit einem Papiertuch ab.

2. In einer kleinen Schüssel Rosmarin, Zitronenpfeffer, Zitronenschale, Knoblauch und Salz vermischen. Die Hälfte der Mischung aufbewahren und beiseite stellen. Reiben Sie die andere Hälfte in die Hühner ein und streuen Sie sie auch hinein. Lassen Sie sie abgedeckt 1 Stunde bei Zimmertemperatur stehen.

3. Erhitzen Sie das Öl in einer Fritteuse oder einem Schmortopf auf 375 °F. Geben Sie die Cornish Chickens vorsichtig in das heiße Öl und frittieren Sie sie etwa 12 Minuten lang, bis sie goldbraun sind.

4. Um den Gargrad zu überprüfen, nehmen Sie das Huhn vorsichtig mit einem Schaumlöffel oder einer Zange aus dem Topf und stecken Sie ein sofort ablesbares Thermometer in die dickste Stelle des Oberschenkels, ohne den Knochen zu berühren – es sollte 180 °F anzeigen.

5. Legen Sie die Hühner auf einen Rost und lassen Sie sie abgedeckt 5 Minuten ruhen. Servieren Sie sie im Ganzen oder teilen Sie sie mit einem Hackbeil der Länge nach in zwei Hälften. Jedes Huhn mit der reservierten Gewürz-Kräuter-Mischung bestreuen und servieren.

6. Für 2–4 Personen

8. Knoblauch-Hähnchen-Golfbälle

Zutaten

- 2 Pfund gehacktes Hühnchen (oder Schweinefleisch)
- ½ Teelöffel Zitruspfeffer
- ½ Teelöffel Salz
- ½ Teelöffel Geflügelgewürz
- 2 Esslöffel Maisstärke
- 2 Esslöffel Sojasauce
- 3 EIWEISS:
- ½ Teelöffel frisch geriebener Ingwer
- 2 Esslöffel Marsala-Wein (oder verwenden Sie einen Lieblings-Sherry)
- 4 Knoblauchzehen, zerdrückt

Teig:

- 1 Tasse Maisstärke
- 1 Tasse Mehl
- Öl zum Frittieren

Richtungen

1. Öl im Schmortopf oder Frittiertopf auf 375 °F erhitzen.
2. In einer großen Schüssel das Hähnchen mit Pfeffer, Salz, Geflügelgewürz und Eiweiß gründlich vermischen. Lassen Sie die Mischung 10 Minuten lang mit Plastikfolie abgedeckt ruhen. Formen Sie mit Ihren Händen aus der Hühnermischung Golfball-große Kugeln und legen Sie diese auf Wachspapier oder Aluminiumfolie.
3. Mischen Sie die Maisstärke mit dem Mehl und rollen Sie jede Kugel in dieser Mischung, um sie gleichmäßig zu bedecken.
4. Geben Sie die Kugeln in das Öl und kochen Sie sie etwa 5 Minuten lang, bis sie schwimmen und goldbraun sind. Mit einem Schaumlöffel herausnehmen und auf Küchenpapier abtropfen lassen. Warm servieren.
5. Für 8 Personen

9. <u>Chicken Gold Nuggets</u>

Zutaten

- ½ Tasse Mehl
- 1 ½ Teelöffel Knoblauchsalz
- 1 Teelöffel Paprika
- 1 Teelöffel Salbei
- 1 Teelöffel Zwiebelpulver
- ½ Teelöffel weißer Pfeffer
- ½ Teelöffel Geflügelgewürz
- ½ Tasse Wasser
- 1 Ei, leicht geschlagen
- 3 ganze Hähnchenbrüste ohne Knochen, gehäutet und in 1 ½ x 1 ½ Zoll große Nuggets geschnitten
- Öl zum Frittieren
- 1 Bund frische Petersilie zum Garnieren
- geriebener Parmesan zum Garnieren
- Paprika zum Garnieren

Richtungen

1. Erhitzen Sie das Öl in einer Fritteuse auf 375 °F.
2. Mehl und Gewürze in einer mittelgroßen Glasschüssel vermischen, Wasser und Ei dazugeben und gut verrühren, bis ein glatter Teig entsteht.
3. Tauchen Sie die Hähnchenteile in den Teig und lassen Sie den Überschuss abtropfen. Geben Sie jeweils 3 bis 4 Stücke in das heiße Öl und braten Sie sie etwa 2 bis 4 Minuten lang, bis sie knusprig sind. Lassen Sie die Nuggets auf Küchenpapier gut abtropfen und geben Sie das Hähnchen dann auf eine warme, mit frischer Petersilie garnierte Platte. Mit geriebenem Parmesan und Paprika bestreuen und servieren.
4. Für 6 Personen

10. Zitronen-Hähnchenstreifen

Zutaten

- 2 Pfund Hähnchenbrust ohne Knochen

Teig:

- ½ Tasse Mehl
- ½ Tasse Maisstärke
- ¼ Teelöffel Knoblauchsalz
- ½ Teelöffel doppelt wirkendes Backpulver
- ½ Teelöffel Pflanzenöl

Soße:

- 2 große Zitronen
- 3 Esslöffel brauner Zucker
- ½ Tasse Weißwein
- 1 Teelöffel Maisstärke
- 2 Teelöffel Wasser
- Petersilienzweige zum Garnieren
- Öl zum Frittieren

Richtungen

1. Öl im Schmortopf oder Frittiertopf auf 350 °F erhitzen.
2. Schneiden Sie die Hähnchenbrust ohne Knochen in etwa 3 Zoll lange und ½ Zoll breite Streifen. Legen Sie sie in eine flache Schüssel, decken Sie sie mit Plastikfolie ab und stellen Sie sie beiseite.
3. In einer mittelgroßen Schüssel Mehl, Maisstärke, Backpulver, Salz und Öl mit einem großen Löffel vermischen und glatt rühren.
4. Schneiden Sie eine Zitrone in ¼ Zoll dicke Scheiben und legen Sie sie beiseite. Den Saft der zweiten Zitrone in eine kleine Schüssel auspressen, Zucker und Weißwein hinzufügen und gut verrühren. Beiseite legen.
5. In einer kleinen Tasse Maisstärke und 2 Teelöffel Wasser vermischen. Umrühren, bis alles vollständig vermischt ist. Beiseite legen.
6. Tauchen Sie jedes Hähnchenstück in den Teig und lassen Sie den Überschuss zurück in die Schüssel tropfen.

7. Das Hähnchen in kleinen Portionen von 10–12 Stück frittieren. Die Hähnchenstreifen sollten in 4–5 Minuten schön braun werden. Achten Sie darauf, dass sie nicht zusammenkleben.
8. Die fertigen Streifen mit einem Schaumlöffel aus dem Öl nehmen und auf Küchenpapier abtropfen lassen.
9. Kochen Sie die Zitronensauce, indem Sie die Zitronen-Zucker-Wein-Mischung in einen kleinen Topf gießen und die Flüssigkeit bei starker Hitze zum Kochen bringen. Geben Sie die Maisstärke-Wasser-Mischung hinzu und rühren Sie, bis die Mischung eingedickt ist.
10. Die abgetropften Hähnchenteile auf einen bunten Teller legen, mit Zitronenscheiben garnieren und mit Petersilie bestreuen. Zitronensauce als Beilage servieren.
11. Für 2–4 Personen

11. Frittierte Flügel aus Perth

Zutaten

- 16 Chicken Wings
- 8 Esslöffel Sojasauce
- 7 Esslöffel Austernsauce
- 8 Esslöffel süßer Sherry
- 3 Esslöffel Limettensaft
- Salz und Pfeffer nach Geschmack
- 1 Tasse Allzweckmehl
- 1 Tasse Maismehl
- Öl zum Frittieren

Richtungen

1. Fritteuse auf 375 °F erhitzen.
2. Legen Sie die Hähnchenflügel in eine nicht poröse Glasschale, einen Ziploc-Plastikbeutel oder eine Edelstahlschüssel. Stechen Sie mit einem Messer Löcher in die Flügel, damit die Marinade in das Fleisch eindringen kann.
3. In einer kleinen Schüssel Sojasauce, Austernsauce, Sherry, Limettensaft, Salz und Pfeffer vermischen und die Mischung über das Huhn gießen. Decken Sie die Schüssel ab oder verschließen Sie den Beutel und stellen Sie sie 12 bis 24 Stunden lang in den Kühlschrank.
4. Nehmen Sie das Hähnchen aus der Marinade und entsorgen Sie die restliche Marinade. Mischen Sie das Mehl in einer flachen Schüssel oder Schüssel und wenden Sie die Flügel darin, bis sie von allen Seiten gut bedeckt sind.
5. Das Öl in einer Fritteuse erhitzen. Kochen Sie die Flügel ca. 4–5 Minuten lang, bis sie knusprig braun und durchgegart sind und der Saft klar austritt.
6. Auf Papiertüchern abtropfen lassen und servieren.
7. Für 8 Personen

12. Perfektes knusprig gebratenes Hähnchen

Ergiebigkeit: 3 Portionen

Zutaten
- 3 mittelgroße Hähnchenschenkelviertel, in Schenkel und Keulen geschnitten
- 2 Tassen Buttermilch oder nach Bedarf zum Bedecken
- ¾ Tasse Allzweckmehl
- ¼ Tasse Maismehl
- 1 Teelöffel granulierte Zwiebel
- 1 Teelöffel granulierter Knoblauch
- 1 Teelöffel gemahlener Thymian
- 1 Esslöffel Salz
- ½ Teelöffel Paprika
- ¼ Teelöffel Mononatriumglutamat (MSG)
- ¼ Teelöffel Backpulver
- ⅛ Teelöffel Cayennepfeffer
- 4 große Eiweiße, schaumig geschlagen
- 2 Tassen Pflanzenöl zum Braten

Richtungen

a) Hähnchenkeulen und -schenkel in eine Schüssel geben und so viel Buttermilch über das Hähnchen gießen, dass es bedeckt ist. Abdecken und 12 bis 24 Stunden im Kühlschrank lagern.

b) Mehl, Maismehl, granulierte Zwiebeln, granulierter Knoblauch, Thymian, Salz, Paprika, Mononatriumglutamat, Backpulver und Cayennepfeffer in einer großen, breiten Schüssel vermischen.

c) Nehmen Sie das Hähnchen aus der Buttermilch und schütteln Sie den Überschuss ab. Buttermilch wegwerfen.

d) Hähnchen mit Papiertüchern trocken tupfen.

e) Hähnchen in Eiweiß tauchen und in die Mehlmischung drücken. Lassen Sie das beschichtete Hähnchen 20 bis 30 Minuten auf einem Gitterrost ruhen.

f) Füllen Sie eine gusseiserne Pfanne oder Fritteuse zu etwa einem Drittel mit Pflanzenöl. Auf 350 Grad F (175 Grad C) erhitzen.

g) Den Ofen auf 250 Grad F (120 Grad C) vorheizen.

h) Hähnchen portionsweise in heißem Öl braten, bis es goldbraun ist und in der Mitte nicht mehr rosa ist, 8 bis 10 Minuten pro Seite. Das Braten von Oberschenkeln kann länger dauern als von Unterschenkeln. Übertragen Sie das gebratene Hähnchen zum Abtropfen auf einen Rost oder ein mit Papiertüchern ausgelegtes Tablett.

i) Halten Sie das Hähnchen im vorgeheizten Ofen warm, während Sie die restlichen Stücke braten.

13. <u>Echtes Southern Fried Chicken</u>

Portion: 4 Portionen

Zutaten
- 3 Tassen Buttermilch, geteilt
- 3 Teelöffel koscheres Salz, geteilt
- 1 Teelöffel grob gemahlener Pfeffer, geteilt
- 1 Brathähnchen (3 bis 4 Pfund), zerschnitten
- Öl zum Frittieren
- 2 Tassen Allzweckmehl
- 1 Teelöffel Zwiebelpulver
- 1 Teelöffel Knoblauchpulver
- 1 Teelöffel Paprika

Richtung
a) 1/8 TL verquirlen. Pfeffer, 1 TL. Salz und 2 Tassen Buttermilch zusammen in einer flachen Schüssel vermengen. Fügen Sie das Huhn hinzu und wenden Sie es dann zum Überziehen. abgedeckt über Nacht im Kühlschrank lagern.

b) Öl in einer Fritteuse oder Elektropfanne auf 375 °C erhitzen. In der Zwischenzeit die restliche Buttermilch in eine flache Schüssel geben. Restlichen Pfeffer und Salz, Paprika, Knoblauchpulver, Zwiebelpulver und Mehl in einer anderen flachen Schüssel verrühren.

c) Für die zweite Panierschicht 1/2 Mehlmischung in eine separate flache Schüssel geben. Das Hähnchen abtropfen lassen, die Marinade wegwerfen und das Hähnchen dann trocken tupfen. Tauchen Sie es in die Mehlmischung, bis es auf beiden Seiten bedeckt ist, und schütteln Sie dann überschüssiges Mehl ab.

d) In Buttermilch eintauchen; überschüssiges Material abtropfen lassen. Tauchen Sie das Hähnchen für die zweite Panierschicht in die übrig gebliebene Mehlmischung und tupfen Sie es ein, damit die Schicht festklebt.

e) Braten Sie das Hähnchen nacheinander jeweils ein paar Stück, bis der Saft klar und das Hähnchen gebräunt ist, etwa 4–5 Minuten pro Seite. Zum Abtropfen auf Papiertücher legen.

14. Einfaches Brathähnchen

Macht: 4

ZUTATEN:
- ⅓ Tasse Mehl
- 1 Teelöffel Salz oder nach Geschmack
- ¼ Teelöffel gemahlener Pfeffer oder nach Geschmack
- 1 Hähnchen, in Portionsstücke geschnitten
- ½ Tasse Gemüsefett

ANWEISUNGEN:
a) In einer großen Plastiktüte Mehl mit Salz und Pfeffer vermischen. Hähnchen im Beutel mit der Mischung schütteln. In einer großen, tiefen Pfanne bei mittlerer Hitze das Backfett schmelzen.
b) Hähnchen ohne Deckel garen und auf jeder Seite 20 bis 30 Minuten erhitzen, bis es gar ist.

15. Im Ofen gebratenes Hähnchen nach südwestlicher Art

ZUTATEN:

- 1 Huhn, in Portionsstücke geschnitten
- 1 Tasse Buttermilch
- ¾ Teelöffel Tabasco, optional
- Pflanzenöl zum Braten
- ½ Tasse Mehl
- ½ Tasse Maismehl
- 1 Teelöffel Salz
- ¾ Teelöffel Chilipulver
- ¼ Teelöffel gemahlener Pfeffer

ANWEISUNGEN:

a) Hähnchen in eine große Schüssel geben. Mit Tabasco bestreuen.

b) Buttermilch darübergießen und 10 bis 15 Minuten marinieren lassen. Ofen auf 425 °F vorheizen. Geben Sie ½ Zoll Öl auf den Boden einer schweren Backform, die groß genug ist, um das Hähnchen aufzunehmen, ohne dass es zu eng wird. Stellen Sie die Pfanne zum Erhitzen für 10 Minuten in den Ofen.

c) In einer Plastiktüte die restlichen Zutaten vermischen. Hähnchen in gewürztem Mehl schütteln. Stück für Stück herausnehmen und schnell in heißes Öl gleiten lassen. In den Ofen geben und 20 Minuten backen. Wenden und weitere 10 bis 15 Minuten backen, bis das Hähnchen gar ist.

d) Hähnchen auf zerknitterten Papiertüchern abtropfen lassen.

16. Hühnchen mit Mandarinenschale

ZUTATEN:

- 3 große Eiweiße
- 2 Esslöffel Maisstärke
- 1½ Esslöffel helle Sojasauce, geteilt
- ¼ Teelöffel gemahlener weißer Pfeffer
- ¾ Pfund Hähnchenschenkel ohne Knochen und Haut, in mundgerechte Stücke geschnitten
- 3 Tassen Pflanzenöl
- 4 geschälte frische Ingwerscheiben, jede etwa so groß wie ein Viertel
- 1 Teelöffel Sichuan-Pfefferkörner, leicht gebrochen
- Koscheres Salz
- ½ gelbe Zwiebel, dünn in ¼ Zoll breite Streifen geschnitten
- Schale von 1 Mandarine, in ⅛ Zoll dicke Streifen geschnitten
- Saft von 2 Mandarinen (ca. ½ Tasse)
- 2 Teelöffel Sesamöl
- ½ Teelöffel Reisessig
- Hellbrauner Zucker
- 2 Frühlingszwiebeln, in dünne Scheiben geschnitten, zum Garnieren
- 1 Esslöffel Sesamkörner zum Garnieren

ANWEISUNGEN:

a) In einer Rührschüssel mit einer Gabel oder einem Schneebesen das Eiweiß schaumig schlagen, bis die festeren Klumpen schaumig werden. Maisstärke, 2 Teelöffel helles Soja und weißen Pfeffer unterrühren, bis alles gut vermischt ist. Das Hähnchen unterheben und 10 Minuten marinieren.

b) Gießen Sie das Öl in den Wok. Das Öl sollte etwa 1 bis 1½ Zoll tief sein. Bringen Sie das Öl bei mittlerer bis hoher Hitze auf 375 °F. Sie können erkennen, dass das Öl die richtige Temperatur hat, wenn Sie das Ende eines Holzlöffels in das Öl tauchen. Wenn das Öl rund herum sprudelt und brutzelt, ist das Öl fertig.

c) Heben Sie das Hähnchen mit einem Schaumlöffel oder einem Wok-Schaumlöffel aus der Marinade und schütteln Sie den Überschuss ab. Vorsichtig in das heiße Öl eintauchen. Braten Sie das

Hähnchen portionsweise 3 bis 4 Minuten lang oder bis das Hähnchen goldbraun und an der Oberfläche knusprig ist. Auf einen mit Papiertüchern ausgelegten Teller geben.

d) Gießen Sie alles bis auf einen Esslöffel Öl aus dem Wok und stellen Sie ihn auf mittlere bis hohe Hitze. Schwenken Sie das Öl, um den Boden des Woks zu bedecken. Würzen Sie das Öl, indem Sie Ingwer, Pfefferkörner und eine Prise Salz hinzufügen. Lassen Sie den Ingwer und die Pfefferkörner etwa 30 Sekunden lang im Öl brutzeln und dabei leicht schwenken.

e) Fügen Sie die Zwiebel hinzu und braten Sie sie unter Rühren und Wenden mit einem Wok-Spatel 2 bis 3 Minuten lang an, oder bis die Zwiebel weich und durchscheinend wird. Fügen Sie die Mandarinenschale hinzu und braten Sie sie eine weitere Minute lang oder bis sie duftet.

f) Mandarinensaft, Sesamöl, Essig und eine Prise braunen Zucker hinzufügen. Die Sauce zum Kochen bringen und etwa 6 Minuten köcheln lassen, bis sie auf die Hälfte reduziert ist. Es sollte sirupartig und sehr würzig sein. Abschmecken und bei Bedarf eine Prise Salz hinzufügen.

g) Schalten Sie den Herd aus, geben Sie das gebratene Hähnchen hinzu und vermengen Sie es, bis es mit der Soße bedeckt ist. Das Hähnchen auf eine Platte geben, den Ingwer wegwerfen und mit den geschnittenen Frühlingszwiebeln und Sesamkörnern garnieren. Heiß servieren.

17. Hähnchen in Sesamsauce

ZUTATEN:

- 3 große Eiweiße
- 3 Esslöffel Maisstärke, geteilt
- 1½ Esslöffel helle Sojasauce, geteilt
- 1 Pfund Hähnchenschenkel ohne Knochen und Haut, in mundgerechte Stücke geschnitten
- 3 Tassen Pflanzenöl
- 3 geschälte frische Ingwerscheiben, jede etwa so groß wie ein Viertel
- Koscheres Salz
- Rote Paprikaflocken
- 3 Knoblauchzehen, grob gehackt
- ¼ Tasse natriumarme Hühnerbrühe
- 2 Esslöffel Sesamöl
- 2 Frühlingszwiebeln, in dünne Scheiben geschnitten, zum Garnieren
- 1 Esslöffel Sesamkörner zum Garnieren

ANWEISUNGEN:

a) In einer Rührschüssel mit einer Gabel oder einem Schneebesen das Eiweiß schlagen, bis es schaumig ist und die festeren Eiweißklumpen schaumig werden. 2 Esslöffel Maisstärke und 2 Teelöffel helles Soja verrühren, bis alles gut vermischt ist. Das Hähnchen unterheben und 10 Minuten marinieren.

b) Gießen Sie das Öl in den Wok. Das Öl sollte etwa 1 bis 1½ Zoll tief sein. Bringen Sie das Öl bei mittlerer bis hoher Hitze auf 375 °F. Sie können erkennen, dass das Öl die richtige Temperatur hat, wenn Sie das Ende eines Holzlöffels in das Öl tauchen. Wenn das Öl rund herum sprudelt und brutzelt, ist das Öl fertig.

c) Heben Sie das Hähnchen mit einem Schaumlöffel oder einem Wok-Schaumlöffel aus der Marinade und schütteln Sie den Überschuss ab. Vorsichtig in das heiße Öl eintauchen. Braten Sie das Hähnchen portionsweise 3 bis 4 Minuten lang oder bis das Hähnchen goldbraun und an der Oberfläche knusprig ist. Auf einen mit Papiertüchern ausgelegten Teller geben.

d) Gießen Sie alles bis auf einen Esslöffel Öl aus dem Wok und stellen Sie ihn auf mittlere bis hohe Hitze. Schwenken Sie das Öl, um den Boden des Woks zu bedecken. Würzen Sie das Öl, indem Sie den Ingwer und eine Prise Salz und rote Pfefferflocken hinzufügen. Lassen Sie die Ingwer- und Pfefferflocken im Öl etwa 30 Sekunden lang brutzeln und dabei leicht schwenken.

e) Fügen Sie den Knoblauch hinzu und braten Sie ihn unter Rühren und Wenden mit einem Wok-Spatel 30 Sekunden lang an. Die Hühnerbrühe, die restlichen 2½ Teelöffel helles Soja und den restlichen 1 Esslöffel Maisstärke einrühren. 4 bis 5 Minuten köcheln lassen, bis die Soße eindickt und glänzt. Das Sesamöl hinzufügen und verrühren.

f) Schalten Sie den Herd aus, geben Sie das gebratene Hähnchen hinzu und vermengen Sie es, bis es mit der Soße bedeckt ist. Den Ingwer entfernen und wegwerfen. Auf eine Platte geben und mit den geschnittenen Frühlingszwiebeln und Sesamkörnern garnieren.

18. <u>Chinesische gebratene Hähnchenflügel zum Mitnehmen</u>

ZUTATEN:

- 10 ganze Hähnchenflügel, gewaschen und trocken tupfen
- ⅛ Teelöffel schwarzer Pfeffer
- ¼ Teelöffel weißer Pfeffer
- ¼ Teelöffel Knoblauchpulver
- 1 Teelöffel Salz
- ½ Teelöffel Zucker
- 1 Esslöffel Sojasauce
- 1 Esslöffel Shaoxing-Wein
- 1 Teelöffel Sesamöl
- 1 Ei
- 1 Esslöffel Maisstärke
- 2 Esslöffel Mehl
- Öl zum braten

ANWEISUNGEN:

a) Alle Zutaten (außer dem Frittieröl natürlich) in einer großen Rührschüssel vermischen. Alles vermischen, bis die Flügel gut bedeckt sind.

b) Lassen Sie die Flügel zwei Stunden lang bei Raumtemperatur oder über Nacht im Kühlschrank marinieren, um optimale Ergebnisse zu erzielen.

c) Wenn Sie nach dem Marinieren den Eindruck haben, dass sich Flüssigkeit in den Flügeln befindet, mischen Sie sie noch einmal gründlich durch. Die Flügel sollten gut mit einer dünnen, teigartigen Schicht überzogen sein. Wenn es immer noch zu wässrig aussieht, fügen Sie noch etwas Maisstärke und Mehl hinzu.

d) Füllen Sie einen mittelgroßen Topf etwa zu ⅔ mit Öl und erhitzen Sie ihn auf 325 Grad F.

e) Braten Sie die Flügel in kleinen Portionen 5 Minuten lang an und legen Sie sie in ein mit Papiertüchern ausgelegtes Blech. Nachdem alle Flügel frittiert sind, geben Sie sie portionsweise in das Öl zurück und braten Sie sie erneut 3 Minuten lang.

f) Auf Papiertüchern oder einem Kühlregal abtropfen lassen und mit scharfer Soße servieren!

19. Karaage japanisches Brathähnchen

Portion: 6

Zutaten:

- Sojasauce, drei Esslöffel
- Hähnchenschenkel ohne Knochen, ein Pfund
- Sake, ein Esslöffel
- Gälische und Ingwerpaste, ein Teelöffel
- Katakuriko-Kartoffelstärke, eine viertel Tasse
- Japanische Mayonnaise nach Bedarf
- Speiseöl nach Bedarf

Richtungen:

a) Hähnchen in mundgerechte Stücke schneiden.

b) Ingwer, Knoblauch, Sojasauce und Kochsake in eine Schüssel geben und vermischen, bis alles gut vermischt ist.

c) Das Hähnchen dazugeben, gut damit bestreichen und zwanzig Minuten lang marinieren lassen.

d) Lassen Sie überschüssige Flüssigkeit vom Huhn ab und fügen Sie Ihre Katakuriko-Kartoffelstärke hinzu. Mischen, bis die Stücke vollständig bedeckt sind.

e) Erhitzen Sie etwas Speiseöl in einer Pfanne auf etwa 180 Grad und testen Sie die Temperatur, indem Sie etwas Mehl hineingeben.

f) Einige Stücke nacheinander einige Minuten braten, bis sie eine tief goldbraune Farbe haben, dann herausnehmen und auf einem Kuchengitter oder einer Küchenrolle abtropfen lassen.

g) Heiß oder kalt mit einigen Zitronenschnitzen und einem Spritzer japanischer Mayonnaise servieren.

20. Einfache gebratene Hähnchenbrust

Portionen: 4 (je 8,7 Unzen)

Zutaten:

- 8 Hähnchenbrusthälften
- ½ Teelöffel Pfeffer oder nach Geschmack
- 4 Teelöffel geriebener Parmesankäse (optional)
- ½ Teelöffel koscheres Salz oder nach Geschmack
- ½ Esslöffel Olivenöl

Richtungen:

a) So bereiten Sie das Hähnchen zu: Legen Sie ein Stück Plastikfolie auf Ihre Arbeitsplatte und legen Sie das Hähnchen hinein. Mit einem weiteren Blatt Plastikfolie abdecken und mit einem Fleischhammer klopfen, bis das Hähnchen gleichmäßig flach ist.

b) Das Hähnchen mit Salz und Pfeffer würzen. 15–20 Minuten ruhen lassen.

c) Stellen Sie eine gusseiserne Pfanne auf hohe Hitze und legen Sie das Hähnchen hinein. Lassen Sie es unbedeckt 2-3 Minuten lang ungestört goldbraun kochen und das Fett wird freigesetzt. Die Seiten umdrehen und weitere 2-3 Minuten kochen lassen. Nehmen Sie die Pfanne vom Herd.

d) Bei Bedarf Parmesankäse darüber streuen. Stellen Sie den Ofen auf Grillen und heizen Sie ihn vor.

e) Stellen Sie die Pfanne in den Ofen und braten Sie, bis der Käse schmilzt. Heiß servieren.

21. Afrikanische gebratene Hähnchenstreifen

Zutaten:

- 2 Pfund Hähnchenbruststreifen ohne Knochen
- 1-1/2 Teelöffel Paprika
- 1 Teelöffel Salz
- 1 Teelöffel Pfeffer
- 1-1/2 Tassen Mehl
- 1–2 Eier, geschlagen
- 1/2 Tasse Milch
- 2 Tassen Pflanzenöl

RICHTUNGEN:

1. Hähnchen in eine große Schüssel geben. Rohe Hähnchenstreifen mit Paprika, Pfeffer und Salz würzen.

2. Bemehlen Sie das Hähnchen, indem Sie es mit der Hälfte des Mehls in einen Beutel (Papier oder Plastik) geben und schütteln, um es zu beschichten.

3. Eier in einer Schüssel verquirlen. Hähnchenstreifen aus der Tüte nehmen. Bemehlte Hähnchenstreifen in das Ei tauchen. Herausnehmen und die Streifen erneut in Mehl legen. Nehmen Sie die Hähnchenteile aus dem Beutel und schütteln Sie überschüssiges Mehl ab.

4. Lassen Sie die Hähnchenstreifen einige Minuten ruhen, damit die Beschichtung haften kann.

5. Das Öl in einer tiefen Pfanne erhitzen.

6. Testen Sie die Öltemperatur, indem Sie einen Klecks Mehl hineingeben, das bräunen und nicht brennen sollte. Das Huhn zum Öl geben.

7. Etwa vier Minuten lang gründlich braten, dabei gelegentlich wenden, bis es von allen Seiten goldbraun ist. Herausnehmen, auf einem Kuchengitter abtropfen lassen und heiß servieren.

8. Für 10–12 Personen.

22. Southern Fried Chicken mit Soße

Zutaten:

2 Pfund Hähnchenstücke
1 Tasse Allzweckmehl
1 TL Salz
1 TL Paprika
1 TL Knoblauchpulver
1 TL Zwiebelpulver
1/2 TL schwarzer Pfeffer
1/4 TL Cayennepfeffer
1 Tasse Buttermilch
Öl zum braten
2 EL Allzweckmehl
2 Tassen Milch

Anweisungen:
In einer flachen Schüssel Mehl, Salz, Paprika, Knoblauchpulver,
Zwiebelpulver, schwarzen Pfeffer und Cayennepfeffer vermischen.
Gießen Sie die Buttermilch in eine andere flache Schüssel.
Tauchen Sie jedes Hähnchenstück in die Buttermilch und tauchen
Sie es dann in die Mehlmischung. Achten Sie darauf, dass es
gleichmäßig bedeckt ist.
Öl in einer tiefen Pfanne bei mittlerer bis hoher Hitze erhitzen.
Braten Sie die Hähnchenteile 15–20 Minuten lang oder bis das
Hähnchen goldbraun und durchgegart ist.
Das Hähnchen aus der Pfanne nehmen und beiseite stellen.
In derselben Pfanne 2 Esslöffel Mehl und die Bratenfette des
Hähnchens vermischen.
Nach und nach 2 Tassen Milch unter ständigem Rühren
hinzufügen, bis die Soße eindickt.
Das Hähnchen mit der Soße servieren.

23. Gebratenes Buttermilch-Ranch-Hähnchen

Zutaten:

2 Pfund Hähnchenstücke
1 Tasse Allzweckmehl
1 TL Salz
1 TL schwarzer Pfeffer
1 TL Knoblauchpulver
1 TL Zwiebelpulver
1/2 TL Paprika
1/2 TL getrockneter Dill
1/2 TL getrocknete Petersilie
1/2 Tasse Buttermilch
1/4 Tasse Ranch-Dressing
Öl zum braten

Anweisungen:
In einer flachen Schüssel Mehl, Salz, schwarzen Pfeffer,
Knoblauchpulver, Zwiebelpulver, Paprika, getrockneten Dill und
getrocknete Petersilie vermischen.
In einer anderen flachen Schüssel Buttermilch und Ranch-Dressing
verrühren.
Tauchen Sie jedes Hähnchenstück in die Buttermilchmischung und
tauchen Sie es dann in die Mehlmischung. Achten Sie darauf, dass
es gleichmäßig bedeckt ist.
Öl in einer tiefen Pfanne bei mittlerer bis hoher Hitze erhitzen.
5. Braten Sie die Hähnchenteile 15–20 Minuten lang oder bis das
Hähnchen goldbraun und durchgegart ist.

BACKHÄHNCHEN

24. <u>Klassisches ofengebratenes Hähnchen</u>

Zutaten:

2 Pfund Hähnchenstücke
1 Tasse Allzweckmehl
1 TL Salz
1 TL Paprika
1 TL Knoblauchpulver
1 TL Zwiebelpulver
1/2 TL schwarzer Pfeffer
1/4 TL Cayennepfeffer
1/2 Tasse Milch
1 Ei
1/4 Tasse Butter, geschmolzen

Anweisungen:
Heizen Sie den Ofen auf 400 °F vor.
In einer flachen Schüssel Mehl, Salz, Paprika, Knoblauchpulver, Zwiebelpulver, schwarzen Pfeffer und Cayennepfeffer vermischen.
In einer anderen flachen Schüssel Milch und Ei verquirlen.
Tauchen Sie jedes Hähnchenstück in die Milchmischung, tauchen Sie es dann in die Mehlmischung und achten Sie darauf, dass es gleichmäßig bedeckt ist.
Das Hähnchen auf ein Backblech legen und mit zerlassener Butter beträufeln.
45–50 Minuten backen oder bis das Hähnchen knusprig und durchgegart ist.

25. Brasilianische Hähnchenkroketten

Zutaten

- 3 Hähnchenbrüste, ohne Haut und ohne Knochen
- ½ mittelgroße Zwiebel, gehackt
- 2 Knoblauchzehen, fein gehackt
- 2 Würfel Hühnerbrühe
- 6 Esslöffel Butter
- 1 ½ Teelöffel Salz
- ½ Teelöffel Zitronenpfeffer
- 4 Tassen Wasser
- 1 kleine Frühlingszwiebel, gehackt
- ¼ Tasse gehackte frische Petersilie
- 3 Tassen Allzweckmehl
- 1 8-Unzen-Packung Frischkäse
- 2 Eiweiß
- Semmelbrösel

Richtungen

1. In einer großen mikrowellengeeigneten Schüssel Hähnchenbrust, Zwiebel, Knoblauch, Hühnerbrühe, Butter, Salz, Pfeffer und Wasser in der Mikrowelle auf höchster Stufe kochen. Das Hähnchen sollte in 10 Minuten gar sein.
2. Die Hähnchenbrüste herausnehmen und fein hacken. Für die Farbe Petersilie und Frühlingszwiebeln hinzufügen.
3. In einem mittelgroßen Topf 3 Tassen der restlichen Brühe 10 Minuten lang kochen. Das Mehl dazugeben und ca. 1 Minute kräftig verrühren, bis ein feuchter Teig entsteht. Den Teig aus der Form nehmen und auf eine warme Temperatur abkühlen lassen. Kneten Sie es etwa 10 Minuten lang, bis es glatt ist und alle Mehlklumpen verschwunden sind.
4. Fritteuse auf 350 °F erhitzen.
5. Den Teig mit einem Nudelholz auf eine Dicke von ¼ Zoll flach drücken und mit einem Keksausstecher oder einem Trinkglas 2 ½ bis 3 ½ Zoll große Kreise ausstechen. Legen Sie den Teig in Ihre Handfläche, fügen Sie 1 Teelöffel Frischkäse und 1 Teelöffel Hühnerfüllung hinzu.

6. Variieren Sie die Menge der Zutaten entsprechend der Größe des ausgeschnittenen Teigkreises, sodass Sie den Teig schließen können, während die Füllung darin bleibt. Alle nicht verwendeten Teigreste kneten und erneut ausrollen. Dabei weitere Kreise ausstechen, bis der gesamte Teig aufgebraucht ist.
7. Falten Sie den Teig und schließen Sie ihn in Form eines Trommelstocks.
8. Den gefüllten Teig großzügig mit Eiweiß bestreichen und über die Semmelbrösel rollen, bis er bedeckt ist.
9. Etwa 8 Minuten lang frittieren, bis sie goldbraun sind. Mit einem Schaumlöffel oder Spatel aus dem heißen Öl nehmen. Auf Papiertüchern abtropfen lassen und heiß servieren.
10. Für 6–8 Personen

26. Würziges, im Ofen gebratenes Hähnchen

Zutaten:

8 Hähnchenschenkel mit Knochen und Haut
1 Tasse Allzweckmehl
1 TL Knoblauchpulver
1 TL Zwiebelpulver
1 TL Paprika
1 TL Salz
1/2 TL schwarzer Pfeffer
1/2 TL Cayennepfeffer
2 Eier, geschlagen
1 Tasse Panko-Semmelbrösel
Kochspray

Anweisungen:
Heizen Sie den Ofen auf 400 °F vor.
In einer flachen Schüssel Mehl, Knoblauchpulver, Zwiebelpulver, Paprika, Salz, schwarzen Pfeffer und Cayennepfeffer vermischen. Tauchen Sie jeden Hähnchenschenkel in die Mehlmischung und schütteln Sie überschüssiges Material ab.
Tauchen Sie den Hähnchenschenkel in die geschlagenen Eier, bestreichen Sie ihn dann mit Panko-Semmelbröseln und drücken Sie die Semmelbrösel auf das Hähnchen, um sicherzustellen, dass sie haften.
Legen Sie die Hähnchenschenkel auf ein mit Backpapier ausgelegtes und mit Kochspray besprühtes Backblech.
45–50 Minuten backen oder bis das Hähnchen knusprig und durchgegart ist.

27. Im Ofen gebratenes Hähnchen der Buttermilk Ranch

Zutaten:

8 Hähnchenschenkel mit Knochen und Haut
1 Tasse Allzweckmehl
1 TL Knoblauchpulver
1 TL Zwiebelpulver
1 TL Paprika
1 TL Salz
1/2 TL schwarzer Pfeffer
1 Tasse Buttermilch
1/4 Tasse Ranch-Dressing
1 Tasse Panko-Semmelbrösel
Kochspray

Anweisungen:
Heizen Sie den Ofen auf 400 °F vor.
In einer flachen Schüssel Mehl, Knoblauchpulver, Zwiebelpulver, Paprika, Salz und schwarzen Pfeffer vermischen.
In einer anderen flachen Schüssel Buttermilch und Ranch-Dressing verrühren.
Tauchen Sie jeden Hähnchenschenkel in die Buttermilchmischung und tauchen Sie ihn dann in die Mehlmischung. Achten Sie darauf, dass er gleichmäßig bedeckt ist.
Tauchen Sie den Hähnchenschenkel wieder in die Buttermilchmischung, bestreichen Sie ihn dann mit Panko-Semmelbröseln und drücken Sie die Semmelbrösel auf das Hähnchen, um sicherzustellen, dass sie haften.
Legen Sie die Hähnchenschenkel auf ein mit Backpapier ausgelegtes und mit Kochspray besprühtes Backblech.
45–50 Minuten backen oder bis das Hähnchen knusprig und durchgegart ist.

28.   Im Ofen gebratenes Hähnchen mit Zitronenkräutern

Zutaten:

8 Hähnchenschenkel mit Knochen und Haut
1 Tasse Allzweckmehl
1 TL Knoblauchpulver
1 TL Zwiebelpulver
1 TL getrocknetes Basilikum
1 TL getrockneter Thymian
1 TL Salz
1/2 TL schwarzer Pfeffer
2 Eier, geschlagen
1 Tasse Panko-Semmelbrösel
1 Zitrone, geriebene Schale
Kochspray

Anweisungen:
Heizen Sie den Ofen auf 400 °F vor.
In einer flachen Schüssel Mehl, Knoblauchpulver, Zwiebelpulver, getrocknetes Basilikum, getrockneten Thymian, Salz und schwarzen Pfeffer vermischen.
Tauchen Sie jeden Hähnchenschenkel in die Mehlmischung und schütteln Sie überschüssiges Material ab.
Tauchen Sie den Hähnchenschenkel in die geschlagenen Eier, bestreichen Sie ihn dann mit Panko-Semmelbröseln und Zitronenschale und drücken Sie die Semmelbrösel auf das Hähnchen, um sicherzustellen, dass sie haften.
Legen Sie die Hähnchenschenkel auf ein mit Backpapier ausgelegtes und mit Kochspray besprühtes Backblech.
45–50 Minuten backen oder bis das Hähnchen knusprig und durchgegart ist.

29. Im Ofen gebratenes Pekannuss-Hähnchen

Portion: 7

Zutaten
- 1 Tasse Buttermilch-Backmischung
- 1/3 Tasse gehackte Pekannüsse
- 2 Teelöffel Paprika
- 1/2 Teelöffel Salz
- 1/2 Teelöffel Geflügelgewürz
- 1/2 Teelöffel getrockneter Salbei
- 1 (2 bis 3 Pfund) ganzes Huhn, in Stücke geschnitten
- 1/2 Tasse Kondensmilch
- 1/3 Teelöffel Butter, geschmolzen

Richtung
a) Heizen Sie einen Ofen auf 175 °C/350 °F vor. Fetten Sie ein 13x9 Zoll großes Backblech ein. Backform leicht anbraten.
b) Salbei, Geflügelgewürz, Salz, Paprika, Pekannüsse und Keksmischung in einer flachen Schüssel vermischen.
c) Hähnchenstücke in Kondensmilch tauchen. Großzügig mit der Pekannussmischung bestreichen. Stücke in die vorbereitete Auflaufform geben. Geschmolzene Butter/Margarine darüber träufeln.
d) 1 Stunde bei 175 °C/350 °F backen, bis der Saft klar ist.

LUFTFRITTIERTES HÄHNCHEN

30. Mandelhähnchen aus der Heißluftfritteuse

Ergibt 2 Portionen

Zutaten:
- 1 großes Ei
- 1/4 Tasse Buttermilch
- 1 Teelöffel Knoblauchsalz
- 1/2 Teelöffel Pfeffer
- 1 Tasse Mandelblättchen, fein gehackt
- 2 Hähnchenbrusthälften ohne Knochen und ohne Haut (je 6 Unzen)
- Optional: Ranch-Salatdressing, Barbecuesauce oder Honigsenf

Richtungen:

a) Heißluftfritteuse auf 350° vorheizen. In einer flachen Schüssel Ei, Buttermilch, Knoblauch, Salz und Pfeffer verquirlen. Mandeln in eine andere flache Schüssel geben. Tauchen Sie das Huhn in die Eimischung und dann in die Mandeln und tupfen Sie es ein, damit der Überzug besser haftet.

b) Legen Sie das Hähnchen in einer einzigen Schicht auf ein gefettetes Tablett in einem Heißluftfritteusenkorb. Mit Kochspray besprühen.

c) Kochen, bis ein in das Hähnchen eingeführtes Thermometer mindestens 165 °C anzeigt, 1518 Minuten. Auf Wunsch mit Ranch-Dressing, Barbecue-Sauce oder Senf servieren.

31. Mit Caprese gefülltes Hähnchen aus der Heißluftfritteuse

Ausbeute: 23 Portionen

Zutaten:

- 2 große Hähnchenbrustfilets ohne Knochen und Haut
- 1 Roma-Tomate, in Scheiben geschnitten
- 1/4 Pfund frischer Mozzarella, in Scheiben geschnitten
- 6 frische Basilikumblätter
- 1 Esslöffel italienisches Gewürz
- 1 Teelöffel Salz
- 1/2 Teelöffel Pfeffer
- 1 Teelöffel natives Olivenöl extra
- 1 Teelöffel Balsamico-Essig (optional)
- Prise Salz und Pfeffer

Richtungen:

a) Bereiten Sie das mit Caprese gefüllte Hähnchen vor. Schneiden Sie eine breite Tasche in die dicke Seite jeder Hähnchenbrust und schneiden Sie dabei fast bis zur anderen Seite, aber nicht ganz durch. Öffnen Sie das Schmetterlingshähnchen. Das Hähnchen gleichmäßig mit Öl beträufeln und mit Salz und Pfeffer würzen.

b) Auf die rechte Hälfte jeder Hähnchenbrust die Mozzarellascheiben, Tomatenscheiben und das frische Basilikum schichten.

c) Falten Sie die linke Seite des Schmetterlingshähnchens vorsichtig über die rechte und verschließen Sie sie mit 24 Zahnstochern.

d) Die Oberseite jeder Brust mit italienischen Gewürzen und einer Prise Salz und Pfeffer würzen.

e) Sprühen Sie Kochspray auf jede gewürzte Hähnchenbrust

f) Heizen Sie die Heißluftfritteuse auf 350 Grad F vor.

g) Den Korb mit einer Heißluftfritteuseneinlage oder -folie auslegen. Die vorbereiteten gefüllten Hähnchenbrüste dazugeben.

h) 2530 Minuten bei 350 Grad kochen oder bis die Innentemperatur des Huhns 165 Grad F erreicht.

i) Vor dem Servieren mit Balsamico-Essig beträufeln (falls verwendet).

32. Hühnchen-Chimichangas aus der Heißluftfritteuse

Zutaten

- 2 Pfund Hähnchenschenkel ohne Knochen und Haut, gekocht und zerkleinert
- 1 Esslöffel Taco-Gewürz
- 1 (8 Unzen) Packung Frischkäse, weich
- 2 Tassen geriebener mexikanischer Mischkäse
- 6 Tortillas
- 1 Esslöffel Olivenöl oder Olivenölspray

Richtungen:

a) Heizen Sie die Heißluftfritteuse auf 360 Grad vor.

b) Die Hähnchenschenkel zerkleinern.

c) Hähnchen, Frischkäse, geriebenen Käse und Gewürze (falls erforderlich) vermischen.

d) Geben Sie etwa eine halbe Tasse Hühnermischung in die Mitte jeder Mehl-Tortilla. Niederdrücken.

e) Falten Sie die Tortilla über die Füllung, indem Sie zuerst die Seiten einschlagen und dann die Chimichanga wie einen Burrito rollen.

f) Jede Chimichanga von allen Seiten mit Olivenöl bestreichen oder gleichmäßig mit Olivenöl besprühen. Mit der Nahtseite nach unten in den Heißluftfritteusenkorb legen.

g) In der Heißluftfritteuse etwa 4 Minuten garen, dann umdrehen und weitere 4 bis 8 Minuten garen.

h) Mit Avocado, zusätzlichem Käse, Sauerrahm, Salsa oder Ihren Lieblingszutaten servieren.

33. Knusprige Hähnchenschnitzel

Portionen: 4

Zutaten:
¾ Tasse Mehl
2 große Eier
1½ Tassen Semmelbrösel
¼ Tasse Parmesankäse, gerieben
1 Esslöffel Senfpulver
Nach Bedarf Salz und gemahlenen schwarzen Pfeffer
4 (¼ Zoll dicke) Hähnchenkoteletts ohne Haut und Knochen

Richtungen:
Geben Sie das Mehl in eine flache Schüssel.
In einer zweiten Schüssel die Eier aufschlagen und gut verrühren.
In einer dritten Schüssel Semmelbrösel, Käse, Senfpulver, Salz und schwarzen Pfeffer vermischen.
Das Hähnchen mit Salz und schwarzem Pfeffer würzen.
Das Hähnchen mit Mehl bestäuben, dann in geschlagene Eier tauchen und schließlich mit der Semmelbröselmischung bestreichen.
Drücken Sie die AIR OVEN MODE-Taste des Ninja Foodi Digital Air Fryer Oven und drehen Sie den Drehknopf, um den „Air Fry"-Modus auszuwählen.
Drücken Sie die TIME/SLICES-Taste und drehen Sie den Drehknopf erneut, um die Garzeit auf 30 Minuten einzustellen.
Drücken Sie nun die TEMP/SHADE-Taste und drehen Sie den Drehknopf, um die Temperatur auf 355 °F einzustellen.
Drücken Sie zum Starten die „Start/Stopp"-Taste.
Wenn das Gerät mit einem Signalton anzeigt, dass es vorgeheizt ist, öffnen Sie die Ofentür und fetten Sie den Heißluftfrittierkorb ein.
Die Hähnchenschnitzel in den vorbereiteten Heißluftfrittierkorb legen und in den Ofen schieben.
Wenn die Garzeit abgelaufen ist, öffnen Sie die Ofentür und servieren Sie es heiß.

34. Knusprige Hähnchenschenkel

Portionen: 3

Kochzeit: 20 Minuten

Zutaten:

3 Hähnchenschenkel

1 Tasse Buttermilch

2 Tassen Weißmehl

1 Teelöffel Knoblauchpulver

1 Teelöffel Zwiebelpulver

1 Teelöffel gemahlener Kreuzkümmel

1 Teelöffel Paprika

Nach Bedarf Salz und gemahlenen schwarzen Pfeffer

1 Esslöffel Olivenöl

Richtungen:

Geben Sie die Hähnchenschenkel und die Buttermilch in eine Schüssel und stellen Sie sie etwa 2 Stunden lang in den Kühlschrank.

In einer flachen Schüssel Mehl und Gewürze vermischen.

Das Hähnchen aus der Buttermilch nehmen.

Die Hähnchenschenkel mit der Mehlmischung bestreichen, dann in Buttermilch tauchen und zum Schluss erneut mit der Mehlmischung bestreichen.

Drücken Sie die AIR OVEN MODE-Taste des Ninja Foodi Digital Air Fryer Oven und drehen Sie den Drehknopf, um den „Air Fry"-Modus auszuwählen.

Drücken Sie die TIME/SLICES-Taste und drehen Sie den Drehknopf erneut, um die Garzeit auf 20 Minuten einzustellen.

Drücken Sie nun die TEMP/SHADE-Taste und drehen Sie den Drehknopf, um die Temperatur auf 355 °F einzustellen.

Drücken Sie zum Starten die „Start/Stopp"-Taste.

Wenn das Gerät mit einem Signalton anzeigt, dass es vorgeheizt ist, öffnen Sie die Ofentür und fetten Sie den Heißluftfrittierkorb ein.

Hähnchenschenkel in den vorbereiteten Heißluftfrittierkorb legen und mit dem Öl beträufeln.

Schieben Sie den Korb in den Ofen.

Wenn die Garzeit abgelaufen ist, öffnen Sie die Ofentür und servieren Sie es heiß.

35. Leckere Hähnchenkeulen

Portionen: 4

Kochzeit: 20 Minuten

Zutaten:

4 Hähnchenkeulen

3/4 Tasse Teriyaki-Sauce

4 EL Frühlingszwiebel, gehackt

1 EL Sesamkörner, geröstet

Richtungen:

Wählen Sie den Luftfrittiermodus, stellen Sie die Temperatur auf 360 °F ein und stellen Sie den Timer auf 20 Minuten ein. Zum Vorheizen den Einstellknopf drücken.

Hähnchenkeulen und Teriyaki-Sauce in den verschließbaren Beutel geben. Beutel verschließen und 1 Stunde in den Kühlschrank stellen.

Ordnen Sie die marinierten Hähnchenkeulen im Korb der Heißluftfritteuse an.

Sobald das Gerät vorgeheizt ist, öffnen Sie die Tür, stellen Sie den Heißluftfritteusenkorb auf die oberste Ebene des Ofens und schließen Sie die Tür.

Mit Frühlingszwiebeln garnieren und mit Sesamkörnern bestreuen.

Servieren und genießen.

36. Hähnchenschenkel aus Ahorn

Portionen: 4

Kochzeit: 25 Minuten

Zutaten:

½ Tasse Ahornsirup

1 Tasse Buttermilch

1 Ei

1 Teelöffel Knoblauchpulver

4 Hähnchenschenkel, mit Haut und Knochen

Trocken rubbeln:

½ Tasse Allzweckmehl

½ Teelöffel Honigpulver

1 Esslöffel Salz

1 Teelöffel süßer Paprika

¼ Teelöffel geräucherter Paprika

1 Teelöffel Zwiebelpulver

¼ Teelöffel gemahlener schwarzer Pfeffer

¼ Tasse Tapiokamehl

½ Teelöffel Cayennepfeffer

½ Teelöffel Knoblauchpulver

Richtungen:

Buttermilch, Ei, Ahornsirup und einen Teelöffel Knoblauch in einem Druckverschlussbeutel verquirlen.

Die Hähnchenschenkel zur Buttermilch geben und diesen Beutel verschließen. Schütteln Sie es, damit das Huhn gut bedeckt ist, und stellen Sie es dann 1 Stunde lang in den Kühlschrank.

In der Zwischenzeit das Mehl mit Salz, Tapioka, Pfeffer, geräuchertem Paprika, süßem Paprika, Honigpulver, granuliertem Knoblauch, Cayennepfeffer und granulierter Zwiebel in einer Schüssel verquirlen.

Das marinierte Hähnchen aus der Tüte nehmen und mit der Mehlmischung bestreichen.

Schütteln Sie den Überschuss ab und legen Sie das Hähnchen in den Ofen.

Legen Sie dieses Blatt in den Ninja Foodi Digital Air Fryer Oven und schließen Sie die Tür.

Wählen Sie mit den Funktionstasten den Modus „AIR FRY".

Stellen Sie die Garzeit auf 12 Minuten und die Temperatur auf 380 °F ein und drücken Sie dann „START/PAUSE", um das Vorheizen zu starten.

Die Hähnchenschenkel umdrehen und weitere 13 Minuten bei gleicher Temperatur weiterbacken.

Warm servieren.

37. Parmesan-Hähnchenauflauf

Portionen: 3

Kochzeit: 50 Minuten

Zutaten:

3 Hähnchenbrusthälften ohne Haut und Knochen

1 Tasse zubereitete Marinara-Sauce

¼ Tasse geriebener Parmesankäse, geteilt

½ Packung Knoblauchcroutons

½ Packung geriebener Mozzarella-Käse, geteilt

2 Esslöffel gehacktes frisches Basilikum

1 Esslöffel Olivenöl

1 Knoblauchzehe, zerdrückt und fein gehackt

Rote Pfefferflocken nach Geschmack

Richtungen:

Schalten Sie Ihren Ninja Foodi Digital Air Fryer Oven ein und drehen Sie den Knopf, um „Backen" auszuwählen.

Vorheizen, indem Sie den Timer auf 3 Minuten und die Temperatur auf 350 °F einstellen.

Fetten Sie die SearPlate ein und bestreuen Sie sie mit Knoblauch und Paprikaflocken.

Ordnen Sie die Hähnchenbrüste auf der SearPlate an und gießen Sie Marinara-Sauce über das Hähnchen.

Geben Sie außerdem die Hälfte des Mozzarella- und Parmesankäses darauf und streuen Sie dann die Croutons darüber.

Zum Schluss den restlichen Mozzarella-Käse darüber geben, gefolgt von der Hälfte des Parmesankäses.

Wählen Sie den Timer für etwa 50 Minuten und die Temperatur für 160 °F.

Backen, bis Käse und Croutons goldbraun sind und das Hähnchen innen nicht mehr rosa ist.

Servieren und genießen!

38. Gebackene Hähnchenflügel

Portionen: 4

Kochzeit: 30 Minuten

Zutaten:

2 Pfund frische Hühnerflügel

1 EL Worcestershire-Sauce

4 EL Butter

4 EL Cayennepfeffersauce

2 EL Frühlingszwiebel, gehackt

1 EL brauner Zucker

1 TL Meersalz

Richtungen:

Stellen Sie den Rost in die untere Position und schließen Sie die Tür. Wählen Sie den Backmodus, stellen Sie die Temperatur auf 350 °F und den Timer auf 30 Minuten ein. Zum Vorheizen den Einstellknopf drücken.

Hähnchenflügel auf einem Blech anrichten.

Sobald das Gerät vorgeheizt ist, öffnen Sie die Tür, stellen Sie das Backblech in die Mitte des Gestells und schließen Sie die Tür.

In einer großen Schüssel braunen Zucker, Cayennepfeffersauce, Worcestershiresauce, Butter und Salz vermischen.

Die Flügel aus dem Ofen nehmen, in eine Schüssel geben und schwenken, bis die Flügel gut bedeckt sind.

Mit Frühlingszwiebeln garnieren und servieren.

39. Asiatische Hähnchenkeulen

Portionen: 4

Kochzeit: 20 Minuten

Zutaten:

8 Hähnchenkeulen

1 TL schwarzer Pfeffer

1 TL Sesamöl

2 EL Reiswein

3 EL Fischsauce

2 EL Knoblauch, gehackt

1 Limettensaft

1/4 Tasse brauner Zucker

1/2 TL Sriracha-Sauce

Salz

Richtungen:

Wählen Sie den Luftfrittiermodus, stellen Sie die Temperatur auf 360 °F ein und stellen Sie den Timer auf 20 Minuten ein. Zum Vorheizen den Einstellknopf drücken.

Hähnchenkeulen und die restlichen Zutaten in die Rührschüssel geben und gut vermischen.

Abdecken und für 2 Stunden in den Kühlschrank stellen.

Ordnen Sie die marinierten Hähnchenkeulen im Korb der Heißluftfritteuse an.

Sobald das Gerät vorgeheizt ist, öffnen Sie die Tür, stellen Sie den Heißluftfritteusenkorb auf die oberste Ebene des Ofens und schließen Sie die Tür.

Servieren und genießen.

40. Hühnchen-Tomaten-Pilze-Auflauf

Portionen: 4

Kochzeit: 30 Minuten

Zutaten:

2 Pfund Hähnchenbrust, halbiert

1/3 Tasse sonnengetrocknete Tomaten

8 Unzen Pilze, in Scheiben geschnitten

1/2 Tasse Mayonnaise

1 TL Salz

Richtungen:

Stellen Sie den Rost in die untere Position und schließen Sie die Tür. Wählen Sie den Backmodus, stellen Sie die Temperatur auf 390 °F ein und stellen Sie den Timer auf 30 Minuten ein. Zum Vorheizen den Einstellknopf drücken.

Das Hähnchen in die Auflaufform legen und mit Pilzen, sonnengetrockneten Tomaten, Mayonnaise und Salz belegen. Gut mischen.

Sobald das Gerät vorgeheizt ist, öffnen Sie die Tür, stellen Sie die Auflaufform in die Mitte des Rosts und schließen Sie die Tür.

Servieren und genießen.

41. Mit Honig glasierte Hähnchenkeulen

Portionen: 2

Kochzeit: 22 Minuten

Zutaten:

½ Esslöffel frischer Thymian, gehackt

2 Esslöffel Dijon-Senf

½ Esslöffel Honig

1 Esslöffel Olivenöl

1 Teelöffel frischer Rosmarin, gehackt

2 Hähnchenkeulen, ohne Knochen

Salz und schwarzer Pfeffer nach Geschmack

Richtungen:

Nehmen Sie eine Schüssel und vermischen Sie Senf, Honig, Kräuter, Salz, Öl und schwarzen Pfeffer.

Hähnchenkeulen in die Schüssel geben und gut mit der Mischung bestreichen.

Abdecken und über Nacht kühl stellen.

Schalten Sie Ihren Ninja Foodi Digital Air Fryer Oven ein und drehen Sie den Knopf, um „Air Fry" auszuwählen.

Wählen Sie den Timer für etwa 12 Minuten und die Temperatur für 320 °F.

Fetten Sie den Frittierkorb ein und legen Sie die Keulen in den vorbereiteten Korb.

Etwa 12 Minuten lang an der Luft braten und dann weitere etwa 10 Minuten bei 180 °C (180 °C) backen.

Aus dem Ofen nehmen und auf einer Platte servieren.

Heiß servieren und genießen!

42. Rosmarin-Hähnchenschenkel

Portionen: 2

Kochzeit: 20 Minuten

Zutaten:

2 Hähnchenschenkel ohne Haut und Knochen

1 Teelöffel frischer Rosmarin, gehackt

Salz und gemahlener schwarzer Pfeffer nach Geschmack

2 Esslöffel Butter, geschmolzen

Richtungen:

Reiben Sie die Hähnchenschenkel gleichmäßig mit Salz und schwarzem Pfeffer ein und bestreichen Sie sie anschließend mit zerlassener Butter. Legen Sie die Hähnchenschenkel in die gefettete Blechpfanne.

Wählen Sie den Modus „BACKEN" und stellen Sie die Garzeit auf Ihrem Ninja Foodi Digital Air Fryer Oven auf 20 Minuten ein.

Stellen Sie die Temperatur auf 450 °F ein.

Drücken Sie zum Starten die Taste „START/PAUSE".

Schieben Sie das Backblech in den Ofen, wenn das Gerät mit einem Signalton anzeigt, dass die Garzeit abgelaufen ist. Drücken Sie die „Power"-Taste, um den Garvorgang zu beenden und die Tür zu öffnen.

Heiß servieren.

43. Süße und würzige Hähnchenkeulen

Portionen: 2

Kochzeit: 20 Minuten

Zutaten:

2 Hähnchenkeulen

½ Knoblauchzehe, zerdrückt

1 Teelöffel Ingwer, zerstoßen

1 Teelöffel brauner Zucker

½ Esslöffel Senf

½ Teelöffel rotes Chilipulver

½ Teelöffel Cayennepfeffer

½ Esslöffel Pflanzenöl

Salz und schwarzer Pfeffer nach Geschmack

Richtungen:

Nehmen Sie eine Schüssel und vermischen Sie Senf, Ingwer, braunen Zucker, Öl und Gewürze.

Hähnchenkeulen in die Schüssel geben, damit sie gut bedeckt sind.

Mindestens 20 bis 30 Minuten kühl stellen.

Schalten Sie Ihren Ninja Foodi Digital Air Fryer Oven ein und drehen Sie den Knopf, um „Air Fry" auszuwählen.

Wählen Sie den Timer für etwa 10 Minuten und die Temperatur für 390 °F.

Fetten Sie den Frittierkorb ein und legen Sie die Keulen in den vorbereiteten Korb.

Etwa 10 Minuten lang an der Luft braten und dann weitere 10 Minuten bei 300 °F backen.

Aus dem Ofen nehmen und auf einer Platte servieren.

Heiß servieren und genießen!

44. Hühnchenauflauf

Portionen: 5

Kochzeit: 25 Minuten

Zutaten:

1 1/4 Pfund Huhn, gekocht und zerkleinert

1/2 Tasse Wasser

1/2 Tasse Sahne

8 Unzen Frischkäse

5 Unzen grüne Bohnen, gehackt

1/4 Tasse Mozzarella-Käse, gerieben

1/4 Tasse Parmesankäse, gerieben

1/2 TL Knoblauchpulver

Salz

Richtungen:

In einem mittelgroßen Topf Sahne, Parmesan, Knoblauchpulver, Frischkäse, Wasser und Salz bei schwacher Hitze erhitzen, bis eine glatte Masse entsteht.

Grüne Bohnen in die gefettete Auflaufform geben.

Hühnchen auf den grünen Bohnen verteilen.

Die Sahnemischung über das Hähnchen gießen und mit Mozzarella belegen.

Wählen Sie den Backmodus, stellen Sie dann die Temperatur auf 350 °F und die Backzeit auf 25 Minuten ein. Drücke Start.

Sobald der Ninja Foodi Digital Air Fryer Oven vorgeheizt ist, stellen Sie die Auflaufform in den Ofen.

Servieren und genießen.

45. Balsamico-Hähnchen

Portionen: 4

Kochzeit: 25 Minuten

Zutaten:

4 Hähnchenbrüste, ohne Haut und ohne Knochen

1/2 Tasse Balsamico-Essig

2 EL Sojasauce

1/4 Tasse Olivenöl

2 TL getrockneter Oregano

2 Knoblauchzehen, gehackt

Pfeffer

Salz

Richtungen:

Stellen Sie den Rost in die untere Position und schließen Sie die Tür. Wählen Sie den Backmodus, stellen Sie die Temperatur auf 390 °F und den Timer auf 25 Minuten ein. Zum Vorheizen den Einstellknopf drücken.

In einer Schüssel Sojasauce, Öl, Pfeffer, Oregano, Knoblauch und Essig vermischen.

Legen Sie das Hähnchen in eine Auflaufform und gießen Sie die Sojasaucenmischung über das Hähnchen.

Sobald das Gerät vorgeheizt ist, öffnen Sie die Tür, stellen Sie die Auflaufform in die Mitte des Rosts und schließen Sie die Tür.

Servieren und genießen.

46. Huhn mit Gemüse

Portionen: 4

Kochzeit: 50 Minuten

Zutaten:

8 Hähnchenschenkel, ohne Haut und Knochen

1 1/2 Pfund Kartoffeln, in Stücke geschnitten

4 EL Olivenöl

1 TL getrockneter Oregano

1/4 Tasse Kapern, abgetropft

10 Unzen geröstete rote Paprika, in Scheiben geschnitten

2 Tassen Kirschtomaten

4 Knoblauchzehen, zerdrückt

Pfeffer

Salz

Richtungen:

Stellen Sie den Rost in die untere Position und schließen Sie die Tür. Wählen Sie den Backmodus, stellen Sie die Temperatur auf 390 °F ein und stellen Sie den Timer auf 50 Minuten ein. Zum Vorheizen den Einstellknopf drücken.

Hähnchen mit Pfeffer und Salz würzen.

2 Esslöffel Öl in einer Pfanne bei mittlerer bis hoher Hitze erhitzen.

Hähnchen dazugeben und von beiden Seiten braun anbraten.

Hähnchen in die Auflaufform legen.

Kartoffeln, Oregano, Knoblauch, Kapern, rote Paprika und Tomaten unterrühren. Mit Öl beträufeln.

Sobald das Gerät vorgeheizt ist, öffnen Sie die Tür, stellen Sie die Auflaufform auf den Rost und schließen Sie die Tür.

Servieren und genießen.

47. Würzige Fleischbällchen

Portionen: 8

Kochzeit: 20 Minuten

Zutaten:

2 Pfund gehacktes Hühnchen

2 Jalapeno-Chilischoten, gehackt

2 TL Ingwer, gerieben

1 TL Knoblauch, zerdrückt

3 EL Semmelbrösel

1/4 Tasse frischer Koriander, gehackt

1/4 Tasse Frühlingszwiebeln, in Scheiben geschnitten

1 EL gemahlener Koriander

1 EL Fischsauce

Pfeffer

Salz

Richtungen:

Alle Zutaten in die Schüssel geben und gut verrühren.

Aus der Masse kleine Kugeln formen und diese auf ein Blech legen.

Wählen Sie den Backmodus, stellen Sie dann die Temperatur auf 390 °F und die Backzeit auf 20 Minuten ein. Drücke Start.

Sobald der Ninja Foodi Digital Air Fryer Oven vorgeheizt ist, stellen Sie das Blech in den Ofen.

Servieren und genießen.

48. Köstliche Hähnchenkeulen

Portionen: 2
Kochzeit: 15 Minuten
Zutaten:
2 Hähnchenkeulen
2 EL Honig
1 EL Olivenöl
1/4 TL Chiliflocken, zerstoßen

Richtungen:
Geben Sie alle Zutaten in den Zip-Lock-Beutel. Beutel verschließen, gut schütteln und 30 Minuten in den Kühlschrank stellen.
Hähnchen in einem Heißluftfritteusenkorb anrichten.
Wählen Sie Luftfrittieren, stellen Sie dann die Temperatur auf 400 °F und die Zeit für 15 Minuten ein. Drücke Start.
Sobald der Ninja Foodi Digital Air Fryer Oven vorgeheizt ist, stellen Sie den Korb in die oberen Schienen des Ofens.
Servieren und genießen.

49. Griechischer Hähnchenauflauf

Portionen: 6

Kochzeit: 25 Minuten

Zutaten:

2 Tassen Brathähnchen, zerkleinert

8 Maistortillas

1 1/2 Tassen Salsa

1 Tasse Sauerrahm

2 Tassen Monterey-Jack-Käse, gerieben

2 Tassen Tomaten, gehackt

Richtungen:

In einer Schüssel Hühnchen, 1 Tasse Käse, Tomaten, Salsa und Sauerrahm vermischen.

Die Hühnermischung in die gefettete Auflaufform geben.

Mit Tortillas und restlichem Käse belegen.

Wählen Sie den Backmodus, stellen Sie dann die Temperatur auf 400 °F und die Backzeit auf 25 Minuten ein. Drücke Start.

Sobald der Ninja Foodi Digital Air Fryer Oven vorgeheizt ist, stellen Sie die Auflaufform in den Ofen.

Servieren und genießen.

50. Spanischer Hähnchenauflauf

Portionen: 4

Kochzeit: 25 Minuten.

Zutaten:

½ Zwiebel, geviertelt

½ rote Zwiebel, geviertelt

½ Pfund Kartoffeln, geviertelt

4 Knoblauchzehen

4 Tomaten, geviertelt

⅛ Tasse Chorizo

¼ Teelöffel Paprikapulver

4 Hähnchenschenkel, ohne Knochen

¼ Teelöffel getrockneter Oregano

½ grüne Paprika, julienned

Salz, nach Geschmack

Schwarzer Pfeffer nach Geschmack

Richtungen:

Hähnchen, Gemüse und alle Zutaten auf einem SearPlate vermengen.

Übertragen Sie die SearPlate in den Ninja Foodi Digital Air Fryer Oven und schließen Sie die Tür.

Wählen Sie den Modus „Backen", indem Sie den Drehknopf drehen.

Drücken Sie die TIME/SLICES-Taste und ändern Sie den Wert auf 25 Minuten.

Drücken Sie die TEMP/SHADE-Taste und ändern Sie den Wert auf 425 °F.

Drücken Sie Start/Stopp, um mit dem Garen zu beginnen.

Warm servieren.

51. Hühnchen-Alfredo-Auflauf

Portionen: 2
Kochzeit: 25 Minuten
Zutaten:
¼ Tasse Sahne
½ Tasse Milch
1 Esslöffel Mehl, geteilt
½ Knoblauchzehe, gehackt
1 Tasse Penne-Nudeln
½ Esslöffel Butter
½ Tasse gewürfeltes Brathähnchen
½ Tasse Parmigiano-Reggiano-Käse, frisch gerieben
½ Prise gemahlene Muskatnuss

Richtungen:

Nehmen Sie einen großen Topf mit leicht gesalzenem Wasser und bringen Sie es zum Kochen.

Penne hinzufügen und etwa 11 Minuten kochen lassen.

Schalten Sie Ihren Ninja Foodi Digital Air Fryer Oven ein und drehen Sie den Knopf, um „Backen" auszuwählen.

Stellen Sie die Zeit auf 10 bis 12 Minuten und die Temperatur auf 375 °F ein. Drücken Sie Start/Stop, um mit dem Vorheizen zu beginnen.

Nehmen Sie in der Zwischenzeit einen Topf, schmelzen Sie die Butter bei mittlerer Hitze und kochen Sie den Knoblauch darin etwa eine Minute lang.

Mehl hinzufügen und ständig verrühren, bis eine Paste entsteht.

Milch und Sahne unter ständigem Rühren einfüllen.

Käse und Muskatnuss unterrühren.

Fügen Sie nun die abgetropften Penne-Nudeln und das gekochte Hähnchen hinzu.

Gießen Sie die Mischung in eine ofenfeste Form.

Käse darüber streuen.

Wenn das Gerät piept, um anzuzeigen, dass es vorgeheizt ist, legen Sie das Gericht auf dem Gitterrost in den Ninja Foodi Digital Air Fryer Oven.

Im vorgeheizten Ninja Foodi Digital Air Fryer Oven etwa 10 bis 12 Minuten bei 375 °F backen.

Servieren und genießen!

52. Primavera-Huhn

Portionen: 4

Kochzeit: 25 Minuten.

Zutaten:

4 Hähnchenbrüste, ohne Knochen

1 Zucchini, in Scheiben geschnitten

3 mittelgroße Tomaten, in Scheiben geschnitten

2 gelbe Paprika, in Scheiben geschnitten

½ rote Zwiebel, in Scheiben geschnitten

2 Esslöffel Olivenöl

1 Teelöffel italienisches Gewürz

Koscheres Salz nach Geschmack

Frisch gemahlener schwarzer Pfeffer nach Geschmack

1 Tasse geriebener Mozzarella

Frisch gehackte Petersilie zum Garnieren

Richtungen:

Schneiden Sie die Hähnchenbrust auf einer Seite ein und füllen Sie sie mit dem gesamten Gemüse.

Legen Sie diese gefüllten Hähnchenbrüste in SearPlate und beträufeln Sie das Hähnchen dann mit Öl, italienischen Gewürzen, schwarzem Pfeffer, Salz und Mozzarella.

Übertragen Sie die SearPlate in den Ninja Foodi Digital Air Fryer Oven und schließen Sie die Tür.

Wählen Sie den Modus „Backen", indem Sie den Drehknopf drehen.

Drücken Sie die TIME/SLICES-Taste und ändern Sie den Wert auf 25 Minuten.

Drücken Sie die TEMP/SHADE-Taste und ändern Sie den Wert auf 370 °F.

Drücken Sie Start/Stopp, um mit dem Garen zu beginnen.

Mit Petersilie garnieren und warm servieren.

53. Käse-Hähnchenkoteletts

Portionen: 2

Kochzeit: 30 Minuten

Zutaten:

1 großes Ei

6 Esslöffel Mehl

¾ Tasse Panko-Semmelbrösel

2 Esslöffel Parmesankäse, gerieben

2 Hähnchenschnitzel, ohne Haut und ohne Knochen

½ Esslöffel Senfpulver

Salz und schwarzer Pfeffer nach Geschmack

Richtungen:

Nehmen Sie eine flache Schüssel und geben Sie das Mehl hinein.

In einer zweiten Schüssel das Ei aufschlagen und gut verrühren.

Nehmen Sie eine dritte Schüssel und vermischen Sie Semmelbrösel, Käse, Senfpulver, Salz und schwarzen Pfeffer.

Das Hähnchen mit Salz und schwarzem Pfeffer würzen.

Das Hähnchen mit Mehl bestäuben, dann in geschlagenes Ei tauchen und schließlich mit der Semmelbröselmischung bestreichen.

Schalten Sie Ihren Ninja Foodi Digital Air Fryer Oven ein und drehen Sie den Knopf, um „Air Fry" auszuwählen.

Wählen Sie den Timer für etwa 30 Minuten und die Temperatur für 355 °F.

Fetten Sie den Frittierkorb ein und legen Sie die Hähnchenschnitzel in den vorbereiteten Korb.

Aus dem Ofen nehmen und auf einer Platte servieren.

Heiß servieren und genießen!

54. Chipotle-Huhn

Portionen: 2

Kochzeit: 18 Minuten

Zutaten:

2 Hähnchenbrüste, ohne Knochen

2 EL Olivenöl

2 TL Chipotle-Chili-Pfefferpulver

1 EL brauner Zucker

3 EL Dose Adobo-Sauce

1/2 TL getrockneter Oregano

1 TL Zwiebelpulver

1 TL Knoblauchpulver

Salz

Richtungen:

Wählen Sie den Luftfrittiermodus, stellen Sie die Temperatur auf 360 °F ein und stellen Sie den Timer auf 18 Minuten ein. Zum Vorheizen den Einstellknopf drücken.

Geben Sie das Huhn und die restlichen Zutaten in den verschließbaren Beutel. Beutel verschließen und für 4 Stunden in den Kühlschrank stellen.

Mariniertes Hähnchen im Heißluftfritteusenkorb anrichten.

Sobald das Gerät vorgeheizt ist, öffnen Sie die Tür, stellen Sie den Heißluftfritteusenkorb auf die oberste Ebene des Ofens und schließen Sie die Tür.

Servieren und genießen.

55. Mit Brie gefüllte Hähnchenbrust

Portionen: 4

Kochzeit: 15 Minuten

Zutaten:

2 Hähnchenfilets ohne Haut und Knochen

Nach Bedarf Salz und gemahlenen schwarzen Pfeffer

4 Briekäsescheiben

1 Esslöffel frischer Schnittlauch, gehackt

4 Speckscheiben

Richtungen:

Schneiden Sie jedes Hähnchenfilet in 2 gleich große Stücke.

Machen Sie vorsichtig einen Schlitz in jedes Hähnchenstück, etwa ¼ Zoll vom Rand entfernt.

Öffnen Sie jedes Hähnchenstück und würzen Sie es mit Salz und schwarzem Pfeffer.

Je 1 Käsescheibe auf die offene Fläche jedes Hähnchenstücks legen und mit Schnittlauch bestreuen.

Die Hähnchenteile verschließen und jeweils mit einer Speckscheibe umwickeln.

Mit Zahnstochern befestigen.

Drücken Sie die AIR OVEN MODE-Taste des Ninja Foodi Digital Air Fryer Oven und drehen Sie den Drehknopf, um den „Air Fry"-Modus auszuwählen.

Drücken Sie die TIME/SLICES-Taste und drehen Sie den Drehknopf erneut, um die Garzeit auf 15 Minuten einzustellen.

Drücken Sie nun die TEMP/SHADE-Taste und drehen Sie den Drehknopf, um die Temperatur auf 355 °F einzustellen.

Drücken Sie zum Starten die „Start/Stopp"-Taste.

Wenn das Gerät mit einem Signalton anzeigt, dass es vorgeheizt ist, öffnen Sie die Ofentür und fetten Sie den Heißluftfrittierkorb ein.

Legen Sie die Hähnchenteile in den vorbereiteten Heißluftfrittierkorb und schieben Sie ihn in den Ofen.

Wenn die Garzeit abgelaufen ist, öffnen Sie die Ofentür und legen Sie die gerollten Hähnchenbrüste auf ein Schneidebrett.

In Scheiben der gewünschten Größe schneiden und servieren.

56. Knusprige Hähnchenschenkel

Portionen: 4

Kochzeit: 25 Minuten

Zutaten:

½ Tasse Allzweckmehl

1½ Esslöffel Cajun-Gewürz

1 Teelöffel Gewürzsalz

1 Ei

4 Hähnchenschenkel mit Haut

Richtungen:

In einer flachen Schüssel Mehl, Cajun-Gewürz und Salz vermischen.

In einer anderen Schüssel das Ei aufschlagen und gut verrühren.

Jeden Hähnchenschenkel mit der Mehlmischung bestreichen, dann in geschlagenes Ei tauchen und schließlich erneut mit der Mehlmischung bestreichen.

Überschüssiges Mehl gründlich abschütteln.

Drücken Sie die AIR OVEN MODE-Taste des Ninja Foodi Digital Air Fryer Oven und drehen Sie den Drehknopf, um den „Air Fry"-Modus auszuwählen.

Drücken Sie die TIME/SLICES-Taste und drehen Sie den Drehknopf erneut, um die Garzeit auf 25 Minuten einzustellen.

Drücken Sie nun die TEMP/SHADE-Taste und drehen Sie den Drehknopf, um die Temperatur auf 390 °F einzustellen.

Drücken Sie zum Starten die „Start/Stopp"-Taste.

Wenn das Gerät mit einem Signalton anzeigt, dass es vorgeheizt ist, öffnen Sie die Ofentür und fetten Sie den Heißluftfrittierkorb ein.

Legen Sie die Hähnchenschenkel in den vorbereiteten Heißluftfrittierkorb und schieben Sie ihn in den Ofen.

Wenn die Garzeit abgelaufen ist, öffnen Sie die Ofentür und servieren Sie es heiß.

57. Panierte Hähnchenfilets

Portionen: 2

Kochzeit: 15 Minuten

Zutaten:

4 Hähnchenfilets, ohne Haut und ohne Knochen

½ Ei, geschlagen

1 Esslöffel Pflanzenöl

¼ Tasse Semmelbrösel

Richtungen:

Nehmen Sie eine flache Schüssel und geben Sie das geschlagene Ei hinein.

Nehmen Sie eine andere Schüssel und vermischen Sie Öl und Semmelbrösel, bis eine krümelige Masse entsteht.

Die Hähnchenfilets in das geschlagene Ei tauchen und anschließend mit der Semmelbröselmischung bestreichen.

Überschüssige Beschichtung abschütteln.

Schalten Sie Ihren Ninja Foodi Digital Air Fryer Oven ein und drehen Sie den Knopf, um „Air Fry" auszuwählen.

Wählen Sie den Timer für etwa 15 Minuten und die Temperatur für 355 °F.

Fetten Sie den Frittierkorb ein und legen Sie die Hähnchenfilets in den vorbereiteten Korb.

Aus dem Ofen nehmen und auf einer Platte servieren.

Heiß servieren und genießen!

58. Hähnchenauflauf

Portionen: 4
Kochzeit: 40 Minuten
Zutaten:
1 Esslöffel Olivenöl
1 gelbe Zwiebel, gehackt
1 Dose Dosentomaten, gewürfelt
3 Knoblauchzehen, gehackt
2 Esslöffel frische Petersilie, gehackt
1 Teelöffel getrockneter Oregano
4 Hähnchenbrustfilets ohne Knochen
Salz und schwarzer Pfeffer nach Geschmack
¾ Tasse Gruyere-Käse, gerieben
1 Teelöffel italienisches Gewürz
1 Esslöffel Petersilie zum Garnieren

Richtungen:
Fetten Sie die Ninja-Auflaufform mit Kochspray ein.
Die Tomaten mit Olivenöl, Knoblauch, Zwiebeln, italienischem Gewürz, Oregano und Petersilie in einer Schüssel vermengen.
Verteilen Sie diese Tomatenmischung in der vorbereiteten Auflaufform. Reiben Sie das Hähnchen mit Salz und schwarzem Pfeffer ein und legen Sie es dann über die Tomaten.
Übertragen Sie diese Auflaufform in den Ninja Foodi Digital Air Fryer Oven und schließen Sie die Tür.
Wählen Sie mit den Funktionstasten den Modus „AIR FRY".
Stellen Sie die Garzeit auf 35 Minuten und die Temperatur auf 400 °F ein und drücken Sie dann „START/PAUSE", um das Vorheizen zu starten.
Den Käse über das Hähnchen träufeln und 5 Minuten backen.
Warm servieren.

59. Hühnchen und Reis Auflauf

Portionen: 4

Kochzeit: 23 Minuten.

Zutaten:

2 Pfund Hähnchenschenkel mit Knochen

Salz und schwarzer Pfeffer

1 Teelöffel Olivenöl

5 Knoblauchzehen, gehackt

2 große Zwiebeln, gehackt

2 große rote Paprika, gehackt

1 Esslöffel süßer ungarischer Paprika

1 Teelöffel scharfes ungarisches Paprikapulver

2 Esslöffel Tomatenmark

2 Tassen Hühnerbrühe

3 Tassen brauner Reis, aufgetaut

2 Esslöffel Petersilie, gehackt

6 Esslöffel Sauerrahm

Richtungen:

Das Hähnchen mit Salz, schwarzem Pfeffer und Olivenöl würzen.

Das Hähnchen in einer Pfanne 5 Minuten pro Seite anbraten und dann auf die SearPlate geben.

Zwiebeln in derselben Pfanne anbraten, bis sie weich sind.

Knoblauch, Paprika und Paprika dazugeben und 3 Minuten anbraten.

Tomatenmark, Hühnerbrühe und Reis einrühren.

Gut vermischen und kochen, bis der Reis weich ist, dann saure Sahne und Petersilie hinzufügen.

Verteilen Sie die Mischung auf dem Hähnchen in der SearPlate.

Übertragen Sie die SearPlate in den Ninja Foodi Digital Air Fryer Oven und schließen Sie die Tür.

Übertragen Sie das Sandwich in den Ninja Foodi Digital Air Fryer Oven und schließen Sie die Tür.

Wählen Sie den Modus „Backen", indem Sie den Drehknopf drehen.

Drücken Sie die TIME/SLICES-Taste und ändern Sie den Wert auf 10 Minuten.

Drücken Sie die TEMP/SHADE-Taste und ändern Sie den Wert auf 375 °F.

Drücken Sie Start/Stopp, um mit dem Garen zu beginnen.

Warm servieren.

60. Gewürztes Brathähnchen

Portionen: 3

Kochzeit: 1 Stunde

Zutaten:

1 Teelöffel Paprika

½ Teelöffel Cayennepfeffer

½ Teelöffel gemahlener weißer Pfeffer

½ Teelöffel Knoblauchpulver

1 Teelöffel getrockneter Thymian

½ Teelöffel Zwiebelpulver

Salz und schwarzer Pfeffer nach Geschmack

2 Esslöffel Öl

½ ganzes Hähnchen, Hälse und Innereien entfernt

Richtungen:

Nehmen Sie eine Schüssel und vermischen Sie Thymian und Gewürze.

Das Hähnchen mit Öl bestreichen und mit der Gewürzmischung einreiben.

Schalten Sie Ihren Ninja Foodi Digital Air Fryer Oven ein und drehen Sie den Knopf, um „Air Fry" auszuwählen.

Wählen Sie den Timer für etwa 30 Minuten und die Temperatur für 350 °F.

Legen Sie das Hähnchen in den Luftfrittierkorb und braten Sie es 30 Minuten lang an der Luft.

Nehmen Sie danach das Hähnchen heraus, drehen Sie es um und lassen Sie es weitere 30 Minuten an der Luft braten.

Nach dem Garen 10 Minuten auf einem großen Teller ruhen lassen und dann in die gewünschten Stücke schneiden.

Servieren und genießen!

61. Geschmackvolle Hähnchenkeulen

Portionen: 6

Kochzeit: 25 Minuten

Zutaten:

1 1/2 Pfund Hähnchenkeulen

1 TL Olivenöl

1/4 TL gemahlener Kreuzkümmel

1/2 TL getrockneter Oregano

1/4 TL Cayennepfeffer

1 TL Paprika

1 TL getrocknete Petersilie

1/4 TL Zwiebelpulver

1 TL Honig-Senf-Sauce

1/2 TL Knoblauchpulver

1 EL Butter, geschmolzen

Pfeffer

Salz

Richtungen:

Wählen Sie den Luftfrittiermodus, stellen Sie die Temperatur auf 375 °F ein und stellen Sie den Timer auf 25 Minuten ein. Zum Vorheizen den Einstellknopf drücken.

In einer Rührschüssel die Hähnchenkeulen mit den restlichen Zutaten vermengen.

Ordnen Sie die Hähnchenkeulen im Korb der Heißluftfritteuse an. Sobald das Gerät vorgeheizt ist, öffnen Sie die Tür, stellen Sie den Heißluftfritteusenkorb auf die oberste Ebene des Ofens und schließen Sie die Tür.

Servieren und genießen.

62. Käsehähnchen

Portionen: 4

Kochzeit: 55 Minuten

Zutaten:

4 Hähnchenbrüste

1 TL getrocknetes Basilikum

1 TL getrockneter Oregano

1 Tasse Parmesankäse, gerieben

1 Tasse halb und halb

1 Tasse Cheddar-Käse, gerieben

Pfeffer

Salz

Richtungen:

Hähnchenbrust in die gefettete Auflaufform legen und mit Cheddar-Käse belegen.

In einer Schüssel Parmesankäse, Hälfte und Hälfte, Oregano, Basilikum, Pfeffer und Salz vermischen.

Die Käsemischung über die Hähnchenbrust gießen.

Wählen Sie den Backmodus, stellen Sie dann die Temperatur auf 375 °F und die Backzeit auf 55 Minuten ein. Drücke Start.

Sobald der Ninja Foodi Digital Air Fryer Oven vorgeheizt ist, stellen Sie die Auflaufform in den Ofen.

Servieren und genießen.

63. Würzige Hähnchenschenkel

Portionen: 6

Kochzeit: 25 Minuten

Zutaten:

6 Hähnchenschenkel

4 Tassen Weißmehl

2 Tassen Buttermilch

2 Teelöffel Zwiebelpulver

2 Teelöffel Knoblauchpulver

2 Teelöffel Paprika

2 Teelöffel gemahlener Kreuzkümmel

Salz und schwarzer Pfeffer nach Geschmack

2 Esslöffel Olivenöl

Richtungen:

Nehmen Sie eine Schüssel, fügen Sie Hähnchenschenkel und Buttermilch hinzu. Etwa 2 Stunden kühl stellen.

Nehmen Sie eine weitere Schüssel und vermischen Sie Mehl und Gewürze.

Die Hähnchenschenkel aus der Buttermilch nehmen und mit der Mehlmischung bestreichen.

Machen Sie es noch einmal, bis wir eine feine Beschichtung haben.

Schalten Sie Ihren Ninja Foodi Digital Air Fryer Oven ein und drehen Sie den Knopf, um „Air Fry" auszuwählen.

Wählen Sie den Timer für etwa 20 bis 25 Minuten und die Temperatur für 360 °F.

Fetten Sie den Frittierkorb ein und legen Sie die Hähnchenschenkel darauf.

Nehmen Sie es heraus, wenn die Hähnchenschenkel braun genug sind, und servieren Sie es auf einer Servierplatte.

64. Hähnchenschenkel mit Kräutern

Portionen: 4

Kochzeit: 20 Minuten

Zutaten:

½ Esslöffel frischer Rosmarin, gehackt

½ Esslöffel frischer Thymian, gehackt

Nach Bedarf Salz und gemahlenen schwarzen Pfeffer

4 Hähnchenschenkel

2 Esslöffel Olivenöl

Richtungen:

In eine große Schüssel die Kräuter, Salz und schwarzen Pfeffer geben und gut vermischen.

Die Hähnchenschenkel mit Öl bestreichen und anschließend mit der Kräutermischung einreiben.

Ordnen Sie die Hähnchenschenkel auf der gefetteten SearPlate an.

Drücken Sie die AIR OVEN MODE-Taste des Ninja Foodi Digital Air Fryer Oven und drehen Sie den Drehknopf, um den „Air Fry"-Modus auszuwählen.

Drücken Sie die TIME/SLICES-Taste und drehen Sie den Drehknopf erneut, um die Garzeit auf 20 Minuten einzustellen.

Drücken Sie nun die TEMP/SHADE-Taste und drehen Sie den Drehknopf, um die Temperatur auf 400 °F einzustellen.

Drücken Sie zum Starten die „Start/Stopp"-Taste.

Wenn das Gerät piept, um anzuzeigen, dass es vorgeheizt ist, öffnen Sie die Ofentür und legen Sie die SearPlate in den Ofen ein.

Die Hähnchenschenkel nach der Hälfte der Zeit einmal wenden.

Wenn die Garzeit abgelaufen ist, öffnen Sie die Ofentür und servieren Sie es heiß.

65. Huhn mit Tomaten

Portionen: 4

Kochzeit: 15 Minuten

Zutaten:

1 Pfund Hähnchenschenkel

3 EL Olivenöl

1 Tasse Traubentomaten

1/2 TL Chilipulver

Pfeffer

Salz

Richtungen:

Wählen Sie den Luftfrittiermodus, stellen Sie die Temperatur auf 400 °F ein und stellen Sie den Timer auf 15 Minuten ein. Zum Vorheizen den Einstellknopf drücken.

In einer Rührschüssel Hähnchenschenkel mit Öl, Chilipulver, Tomaten, Pfeffer und Salz vermengen.

Geben Sie Hühnchen und Tomaten in den Korb der Heißluftfritteuse.

Sobald das Gerät vorgeheizt ist, öffnen Sie die Tür, stellen Sie den Heißluftfritteusenkorb auf die oberste Ebene des Ofens und schließen Sie die Tür.

Servieren und genießen.

66. Italienische Hähnchenbrust

Portionen: 8

Kochzeit: 45 Minuten

Zutaten:

8 Hähnchenbrüste, ohne Haut und ohne Knochen

3 Unzen Feta-Käse, zerbröckelt

1 EL Oregano

4 EL frischer Zitronensaft

Pfeffer

Salz

Richtungen:

Hähnchen in eine Auflaufform legen.

Die restlichen Zutaten vermischen und über das Hähnchen gießen.

Wählen Sie den Backmodus, stellen Sie dann die Temperatur auf 350 °F und die Backzeit auf 45 Minuten ein. Drücke Start.

Sobald der Ninja Foodi Digital Air Fryer Oven vorgeheizt ist, stellen Sie die Auflaufform in den Ofen.

Servieren und genießen.

67. Hähnchenbrust mit Parmesankruste

Portionen: 4

Kochzeit: 15 Minuten

Zutaten:

2 große Hähnchenbrust

1 Tasse Mayonnaise

1 Tasse Parmesankäse, gerieben

1 Tasse Panko-Semmelbrösel

Richtungen:

Schneiden Sie jede Hähnchenbrust in zwei Hälften und klopfen Sie sie dann mit einem Fleischhammer gleichmäßig dick.

Verteilen Sie die Mayonnaise gleichmäßig auf beiden Seiten jedes Hähnchenstücks.

In einer flachen Schüssel Parmesan und Semmelbrösel vermischen.

Die Hähnchenstücke gleichmäßig mit der Parmesanmischung bestreichen.

Drücken Sie die AIR OVEN MODE-Taste des Ninja Foodi Digital Air Fryer Oven und drehen Sie den Drehknopf, um den „Air Fry"-Modus auszuwählen.

Drücken Sie die TIME/SLICES-Taste und drehen Sie den Drehknopf erneut, um die Garzeit auf 15 Minuten einzustellen.

Drücken Sie nun die TEMP/SHADE-Taste und drehen Sie den Drehknopf, um die Temperatur auf 390 °F einzustellen.

Drücken Sie zum Starten die „Start/Stopp"-Taste.

Wenn das Gerät durch einen Signalton anzeigt, dass es vorgeheizt ist, öffnen Sie die Ofentür.

Die Hähnchenteile in den gefetteten Heißluftfrittierkorb legen und in den Ofen schieben.

Nach 10 Minuten Garzeit die Hähnchenteile einmal wenden.

Wenn die Garzeit abgelaufen ist, öffnen Sie die Ofentür und servieren Sie es heiß.

68. In Soja geschmorte Chicken Wings

Portionen: 6

Kochzeit: 1 Stunde 30 Minuten

Zutaten:

3 Tassen Sojasauce

2 Esslöffel gehackter frischer Ingwer

6 Knoblauchzehen, gehackt

2 Esslöffel dunkelbrauner Zucker

¼ Tasse Reiswein

1 Esslöffel chinesisches Fünf-Gewürze-Pulver

3 Frühlingszwiebeln, weiße und grüne Teile, gehackt

2 Esslöffel Sesamöl

3 Pfund Chicken Wings

Richtungen:

In einer großen Schüssel Sojasauce, Ingwer, Knoblauch, braunen Zucker, Reiswein, Fünf-Gewürze-Pulver, Frühlingszwiebeln und Sesamöl verrühren.

Die Hähnchenflügel in die Auflaufform legen.

Gießen Sie die Marinade gleichmäßig über die Flügel.

Decken Sie die Form mit Plastikfolie ab und stellen Sie sie mindestens 30 Minuten lang, idealerweise jedoch 6 Stunden lang in den Kühlschrank.

Wählen Sie „AIR ROAST" auf Ihrem Ninja Foodi Digital Air Fryer Oven.

Stellen Sie die Temperatur auf 300 °F und die Zeit auf 1 Stunde und 30 Minuten ein.

Drücken Sie „START/PAUSE", um mit dem Vorheizen zu beginnen.

Wenn das Gerät vorgeheizt ist, packen Sie die Schüssel aus und stellen Sie sie auf den Rost im Inneren.

Schließen Sie die Ofentür, um mit dem Garen zu beginnen.

Wenn der Garvorgang abgeschlossen ist, servieren Sie die Hähnchenflügel in der Auflaufform.

69. Würzige Hähnchenkeulen

Portionen: 4
Kochzeit: 30 Minuten
Zutaten:
2 Pfund Hähnchenkeulen
2 EL Olivenöl
1 1/2 EL scharfe Soße
1 TL Paprika
1 EL Tomatenmark
2 EL Essig
Pfeffer
Salz

Richtungen:
Alle Zutaten in die große Rührschüssel geben und gut verrühren.
Hähnchenkeulen in die Auflaufform geben.
Wählen Sie den Backmodus, stellen Sie dann die Temperatur auf 450 °F und die Backzeit auf 30 Minuten ein. Drücke Start.
Sobald der Ninja Foodi Digital Air Fryer Oven vorgeheizt ist, stellen Sie die Auflaufform in den Ofen.
Servieren und genießen.

70. Süß-saure Hähnchenschenkel

Portionen: 1

Kochzeit: 20 Minuten

Zutaten:

¼ Esslöffel Sojasauce

¼ Esslöffel Reisessig

½ Teelöffel Zucker

½ Knoblauch, gehackt

½ Frühlingszwiebel, fein gehackt

¼ Tasse Maismehl

1 Hähnchenschenkel, ohne Haut und Knochen

Salz und schwarzer Pfeffer nach Geschmack

Richtungen:

Nehmen Sie eine Schüssel und vermischen Sie alle Zutaten außer Hühner- und Maismehl.

Den Hähnchenschenkel in die Schüssel geben, damit er gut bedeckt ist.

Nehmen Sie eine weitere Schüssel und fügen Sie Maismehl hinzu. Die Hähnchenschenkel aus der Marinade nehmen und leicht mit Maismehl bestreichen.

Schalten Sie Ihren Ninja Foodi Digital Air Fryer Oven ein und drehen Sie den Knopf, um „Air Fry" auszuwählen.

Wählen Sie den Timer für etwa 10 Minuten und die Temperatur für 390 °F.

Fetten Sie den Frittierkorb ein und legen Sie die Hähnchenschenkel in den vorbereiteten Korb.

Etwa 10 Minuten lang an der Luft braten und dann noch einmal bis zu 10 Minuten bei 355 °F.

Aus dem Ofen nehmen und auf einer Platte servieren.

Heiß servieren und genießen!

71. Spinat-Hähnchen

Portionen: 2

Kochzeit: 20 Minuten

Zutaten:

2 Hähnchenbrüste, ohne Knochen und ohne Haut

1/4 Tasse sonnengetrocknete Tomaten, gehackt

2 Tassen frischer Spinat, gehackt und gekocht

1/4 Tasse Cheddar-Käse, gerieben

3 Unzen Frischkäse

Pfeffer

Salz

Richtungen:

Die Hähnchenbrüste halbieren und in die Auflaufform legen. Mit Pfeffer und Salz würzen.

In einer Schüssel Spinat, Knoblauchpulver, Tomaten, Cheddar-Käse und Frischkäse vermischen.

Die Spinatmischung auf dem Hähnchen verteilen.

Wählen Sie den Backmodus und stellen Sie dann die Temperatur auf 200 °C und die Backzeit auf 20 Minuten ein. Drücke Start.

Sobald der Ninja Foodi Digital Air Fryer Oven vorgeheizt ist, stellen Sie die Auflaufform in den Ofen.

Servieren und genießen.

72. Zitronen-Limetten-Hähnchen

Portionen: 2

Kochzeit: 20 Minuten

Zutaten:

2 Esslöffel Pflanzenöl

2 Esslöffel Limettensaft

¼ Tasse Zitronensaft

2 Hähnchenbrusthälften ohne Haut und Knochen

Italienische Gewürze nach Geschmack

Salz nach Geschmack

Richtungen:

Nehmen Sie eine große Schüssel und geben Sie Zitronensaft, Limettensaft und Öl hinzu.

Legen Sie das Huhn in die Mischung und stellen Sie es mindestens eine Stunde lang in den Kühlschrank.

Schalten Sie Ihren Ninja Foodi Digital Air Fryer Oven ein und drehen Sie den Knopf, um „Broil" auszuwählen.

Nehmen Sie eine SearPlate.

Das Hähnchen auf der SearPlate anrichten und mit italienischen Gewürzen und Salz würzen.

Hähnchen 10 Minuten braten und die Temperatur auf niedrig stellen.

Hähnchen wenden, nochmals würzen und weitere 10 Minuten grillen.

Warm servieren und genießen!

73. Knusprige Hähnchenkeulen

Portionen: 4

Kochzeit: 25 Minuten

Zutaten:

4 Hähnchenkeulen

1 Esslöffel Adobo-Gewürz

Nach Bedarf salzen

1 Esslöffel Zwiebelpulver

1 Esslöffel Knoblauchpulver

½ Esslöffel Paprika

Nach Bedarf gemahlener schwarzer Pfeffer

2 Eier

2 Esslöffel Milch

1 Tasse Allzweckmehl

¼ Tasse Maisstärke

Richtungen:

Hähnchenkeulen mit Adobo-Gewürz und einer Prise Salz würzen. Etwa 5 Minuten ruhen lassen.

In eine kleine Schüssel die Gewürze, Salz und schwarzen Pfeffer geben und gut vermischen.

Eier, Milch und 1 Teelöffel Gewürzmischung in eine flache Schüssel geben und gut verrühren.

In eine andere flache Schüssel Mehl, Maisstärke und die restliche Gewürzmischung geben.

Die Hähnchenkeulen mit der Mehlmischung bestreichen und den Überschuss abklopfen.

Tauchen Sie nun die Hähnchenkeulen in die Eimischung.

Die Hähnchenkeulen erneut mit der Mehlmischung bestreichen.

Die Hähnchenkeulen auf einem mit einem Gitterrost ausgelegten Backblech anordnen und etwa 15 Minuten ruhen lassen.

Ordnen Sie nun die Hähnchenkeulen auf einer SearPlate an und besprühen Sie das Hähnchen leicht mit Kochspray.

Drücken Sie die AIR OVEN MODE-Taste des Ninja Foodi Digital Air Fryer Oven und drehen Sie den Drehknopf, um den „Air Fry"-Modus auszuwählen.

Drücken Sie die TIME/SLICES-Taste und drehen Sie den Drehknopf erneut, um die Garzeit auf 25 Minuten einzustellen.

Drücken Sie nun die TEMP/SHADE-Taste und drehen Sie den Drehknopf, um die Temperatur auf 350 °F einzustellen.

Drücken Sie zum Starten die „Start/Stopp"-Taste.

Wenn das Gerät mit einem Signalton anzeigt, dass es vorgeheizt ist, öffnen Sie die Ofentür und fetten Sie den Heißluftfrittierkorb ein.

Legen Sie die Hähnchenkeulen in den vorbereiteten Heißluftfrittierkorb und schieben Sie ihn in den Ofen.

Wenn die Garzeit abgelaufen ist, öffnen Sie die Ofentür und servieren Sie es heiß.

74. Gebackene Hähnchenschenkel

Portionen: 6
Kochzeit: 35 Minuten
Zutaten:
6 Hähnchenschenkel
1 EL Olivenöl
Zum Einreiben:
1/2 TL Pfeffer
1 TL Knoblauchpulver
1 TL Zwiebelpulver
1/2 TL Basilikum
1/2 TL Oregano
1/2 TL Salz

Richtungen:
Stellen Sie den Rost in die untere Position und schließen Sie die Tür. Wählen Sie den Backmodus, stellen Sie die Temperatur auf 390 °F ein und stellen Sie den Timer auf 35 Minuten ein. Zum Vorheizen den Einstellknopf drücken.
Hähnchenschenkel mit Olivenöl bestreichen.
In einer kleinen Schüssel die Zutaten vermischen und das Hähnchen damit einreiben.
Hähnchen in einer Auflaufform anrichten.
Sobald das Gerät vorgeheizt ist, öffnen Sie die Tür, stellen Sie die Auflaufform in die Mitte des Rosts und schließen Sie die Tür.
Servieren und genießen.

75. Huhn Stir Fry

Portionen: 2

Kochzeit: 25 Minuten

Zutaten:

1 Pfund Hähnchenbrust in Würfel schneiden

2 rote Paprika, in dünne Scheiben geschnitten

½ gelbe Paprika, in dünne Scheiben geschnitten

2 orangefarbene Paprika, in dünne Scheiben geschnitten

1 Karotte, in dünne Scheiben geschnitten

¼ Tasse Bratsauce

¼ Tasse Mais, abgetropft

½ Tasse Brokkoli, in Röschen geschnitten

2 Teelöffel Sesam zum Garnieren

Ölspray zum Einfetten

Richtungen:

Nehmen Sie eine Schüssel und geben Sie Hühnchen, Paprika, Mais, Brokkoli und Karotten in eine Schüssel.

Beschichten Sie die Zutat mit einem Ölspray mit Öl.

Geben Sie die Zutaten in eine Ninja-Blechpfanne.

Schalten Sie den AIR ROAST an Ihrem Ninja Foodi Digital Air Fryer Oven ein.

Stellen Sie den Timer auf 25 Minuten bei 400 °F ein.

Mit Sesamkörnern garnieren und die Sauce unter Rühren anbraten.

76. Honig-Senf Hühnchen

Portionen: 6

Kochzeit: 40 Minuten

Zutaten:

6 Hähnchenschenkel, mit Knochen und Haut

1/2 Tasse Honig

1/4 Tasse gelber Senf

Pfeffer

Salz

Richtungen:

Stellen Sie den Rost in die untere Position und schließen Sie die Tür. Wählen Sie den Backmodus, stellen Sie die Temperatur auf 350 °F ein und stellen Sie den Timer auf 40 Minuten ein. Zum Vorheizen den Einstellknopf drücken.

Hähnchen mit Pfeffer und Salz würzen und in die Auflaufform legen.

Gelben Senf und Honig vermischen und über das Hähnchen gießen.

Sobald das Gerät vorgeheizt ist, öffnen Sie die Tür, stellen Sie die Auflaufform in die Mitte des Rosts und schließen Sie die Tür.

Servieren und genießen.

77. Hähnchenspiesse

Portionen: 2

Kochzeit: 9 Minuten

Zutaten:

1 Hähnchenbrust, in mittelgroße Stücke geschnitten

1 Esslöffel frischer Zitronensaft

3 Knoblauchzehen, gerieben

1 Esslöffel frischer Oregano, gehackt

½ Teelöffel Zitronenschale, gerieben

Nach Bedarf Salz und gemahlenen schwarzen Pfeffer

1 Teelöffel griechischer Naturjoghurt

1 Teelöffel Olivenöl

Richtungen:

In eine große Schüssel das Hähnchen, Zitronensaft, Knoblauch, Oregano, Zitronenschale, Salz und schwarzen Pfeffer geben und gut vermengen.

Decken Sie die Schüssel ab und stellen Sie sie über Nacht in den Kühlschrank.

Nehmen Sie die Schüssel aus dem Kühlschrank und rühren Sie Joghurt und Öl hinein.

Die Hähnchenstücke auf die Metallspieße stecken.

Drücken Sie die AIR OVEN MODE-Taste des Ninja Foodi Digital Air Fryer Oven und drehen Sie den Drehknopf, um den „Air Fry"-Modus auszuwählen.

Drücken Sie die TIME/SLICES-Taste und drehen Sie den Drehknopf erneut, um die Garzeit auf 9 Minuten einzustellen.

Drücken Sie nun die TEMP/SHADE-Taste und drehen Sie den Drehknopf, um die Temperatur auf 350 °F einzustellen.

Drücken Sie zum Starten die „Start/Stopp"-Taste.

Wenn das Gerät mit einem Signalton anzeigt, dass es vorgeheizt ist, öffnen Sie die Ofentür und fetten Sie den Heißluftfrittierkorb ein.

Legen Sie die Spieße in den vorbereiteten Heißluftfrittierkorb und schieben Sie ihn in den Ofen.

Nach der Hälfte der Garzeit die Spieße einmal wenden.

Wenn die Garzeit abgelaufen ist, öffnen Sie die Ofentür und servieren Sie es heiß.

78. Knusprig gebratenes Hähnchen

Portionen: 8

Kochzeit: 40 Minuten

Zutaten:

1 ganzes Huhn, in 8 Stücke geschnitten

Nach Bedarf Salz und gemahlenen schwarzen Pfeffer

2 Tassen Buttermilch

2 Tassen Allzweckmehl

1 Esslöffel gemahlener Senf

1 Esslöffel Knoblauchpulver

1 Esslöffel Zwiebelpulver

1 Esslöffel Paprika

Richtungen:

Reiben Sie die Hähnchenteile mit Salz und schwarzem Pfeffer ein.

Geben Sie die Hähnchenstücke und die Buttermilch in eine große Schüssel und lassen Sie sie mindestens 1 Stunde lang im Kühlschrank marinieren.

In der Zwischenzeit Mehl, Senf, Gewürze, Salz und schwarzen Pfeffer in eine große Schüssel geben und gut vermischen.

Nehmen Sie die Hähnchenteile aus der Schüssel und tropfen Sie die überschüssige Buttermilch ab.

Die Hähnchenteile mit der Mehlmischung bestreichen und überschüssiges Mehl abschütteln.

Drücken Sie die AIR OVEN MODE-Taste des Ninja Foodi Digital Air Fryer Oven und drehen Sie den Drehknopf, um den „Air Fry"-Modus auszuwählen.

Drücken Sie die TIME/SLICES-Taste und drehen Sie den Drehknopf erneut, um die Garzeit auf 20 Minuten einzustellen.

Drücken Sie nun die TEMP/SHADE-Taste und drehen Sie den Drehknopf, um die Temperatur auf 390 °F einzustellen.

Drücken Sie zum Starten die „Start/Stopp"-Taste.

Wenn das Gerät mit einem Signalton anzeigt, dass es vorgeheizt ist, öffnen Sie die Ofentür und fetten Sie den Frittierkorb ein.

Die Hälfte der Hähnchenstücke in den Heißluftfrittierkorb legen und in den Ofen schieben.

Wiederholen Sie den Vorgang mit den restlichen Hähnchenstücken.

Wenn die Garzeit abgelaufen ist, öffnen Sie die Ofentür und servieren Sie es sofort.

79. Ingwer-Hühnerkeulen

Portionen: 3

Kochzeit: 25 Minuten

Zutaten:

¼ Tasse vollfette Kokosmilch

2 Teelöffel frischer Ingwer, gehackt

2 Teelöffel Galgant, gehackt

2 Teelöffel gemahlene Kurkuma

Nach Bedarf salzen

3 Hähnchenkeulen

Richtungen:

Kokosmilch, Galgant, Ingwer und Gewürze in eine große Schüssel geben und gut vermischen.

Die Hähnchenkeulen dazugeben und großzügig mit der Marinade bestreichen.

Zum Marinieren mindestens 6–8 Stunden im Kühlschrank aufbewahren.

Drücken Sie die AIR OVEN MODE-Taste des Ninja Foodi Digital Air Fryer Oven und drehen Sie den Drehknopf, um den „Air Fry"-Modus auszuwählen.

Drücken Sie die TIME/SLICES-Taste und drehen Sie den Drehknopf erneut, um die Garzeit auf 25 Minuten einzustellen.

Drücken Sie nun die TEMP/SHADE-Taste und drehen Sie den Drehknopf, um die Temperatur auf 375 °F einzustellen.

Drücken Sie zum Starten die „Start/Stopp"-Taste.

Wenn das Gerät mit einem Signalton anzeigt, dass es vorgeheizt ist, öffnen Sie die Ofentür und fetten Sie den Heißluftfrittierkorb ein.

Legen Sie die Hähnchenkeulen in den vorbereiteten Heißluftfrittierkorb und schieben Sie ihn in den Ofen.

Wenn die Garzeit abgelaufen ist, öffnen Sie die Ofentür und servieren Sie es heiß.

80. Hühnernuggets

Portionen: 6

Kochzeit: 10 Minuten

Zutaten:

2 große Hähnchenbrüste, in Würfel geschnitten

1 Tasse Semmelbrösel

⅓ Esslöffel Parmesankäse, gerieben

1 Teelöffel Zwiebelpulver

¼ Teelöffel geräuchertes Paprikapulver

Nach Bedarf Salz und gemahlenen schwarzen Pfeffer

Richtungen:

Geben Sie alle Zutaten in einen großen wiederverschließbaren Beutel.

Verschließen Sie den Beutel und schütteln Sie ihn gut, um ihn gründlich zu beschichten.

Wählen Sie die Funktion „AIR FRY" an Ihrem Ninja Foodi Digital Air Fryer Oven.

Drücken Sie die „Temp-Taste" und stellen Sie mit dem Drehknopf die Temperatur auf 400 °F und die Garzeit auf 10 Minuten ein.

Drücken Sie zum Starten die Taste „START/PAUSE".

Ordnen Sie die Nuggets im Air Crisp Basket an und schieben Sie sie in den Ofen.

Wenn die Garzeit abgelaufen ist, öffnen Sie die Tür und legen Sie die Nuggets auf eine Platte.

Warm servieren.

81. Knuspriges Käsehähnchen

Portionen: 4

Kochzeit: 35 Minuten

Zutaten:

4 Hähnchenbrüste

¼ Tasse Olivenöl

1 Tasse Semmelbrösel

1 Tasse Parmesankäse, gerieben

¼ Teelöffel Knoblauchpulver

¼ Teelöffel italienisches Gewürz

Salz und Pfeffer nach Geschmack

Richtungen:

Hähnchen mit Pfeffer und Salz würzen und mit Olivenöl bestreichen.

In einer flachen Schüssel Parmesankäse, Knoblauchpulver, italienische Gewürze und Semmelbrösel vermischen.

Das Hähnchen mit der Parmesan-Semmelbrösel-Mischung bestreichen und in die Auflaufform legen.

Platzieren Sie den Rost in Ihrem Ninja Foodi Digital Air Fryer Oven. Wählen Sie den Modus „BACKEN", stellen Sie die Temperatur auf 350 °F und die Zeit auf 35 Minuten ein. Drücken Sie Start, um mit dem Vorheizen zu beginnen.

Sobald der Ninja Foodi Digital Air Fryer Oven vorgeheizt ist, stellen Sie die Auflaufform auf einen Rost und schließen Sie die Ofentür, um mit dem Garen zu beginnen. 35 Minuten kochen lassen.

Servieren und genießen.

82. Ingwer-Hühnerkeulen

Portionen: 6

Kochzeit: 25 Minuten

Zutaten:

4 Teelöffel frischer Ingwer, gehackt

4 Teelöffel Galgant, gehackt

½ Tasse vollfette Kokosmilch

4 Teelöffel gemahlene Kurkuma

Salz, nach Geschmack

6 Hähnchenkeulen

Richtungen:

Nehmen Sie eine Schüssel und vermischen Sie Galgant, Ingwer, Kokosmilch und Gewürze.

Hähnchenkeulen in die Schüssel geben, damit sie gut bedeckt sind.

Mindestens 6 bis 8 Stunden im Kühlschrank lagern.

Schalten Sie Ihren Ninja Foodi Digital Air Fryer Oven ein und drehen Sie den Knopf, um „Air Fry" auszuwählen.

Wählen Sie den Timer für etwa 20 bis 25 Minuten und die Temperatur für 375 °F.

Fetten Sie den Frittierkorb ein und legen Sie die Keulen in den vorbereiteten Korb.

Aus dem Ofen nehmen und auf einer Platte servieren.

Heiß servieren und genießen!

83. Cremiger Hähnchenauflauf

Portionen: 4

Kochzeit: 47 Minuten.

Zutaten:

Hähnchen-Pilz-Auflauf

2 ½ Pfund Hähnchenbrust, in Streifen geschnitten

1 ½ Teelöffel Salz

¼ Teelöffel schwarzer Pfeffer

1 Tasse Allzweckmehl

6 Esslöffel Olivenöl

1 Pfund weiße Champignons, in Scheiben geschnitten

1 mittelgroße Zwiebel, gewürfelt

3 Knoblauchzehen, gehackt

Soße

3 Esslöffel ungesalzene Butter

3 Esslöffel Allzweckmehl

½ Tasse Milch, optional

1 Tasse Hühnerbrühe, optional

1 Esslöffel Zitronensaft

1 Tasse halb und halb Sahne

Richtungen:

Eine Auflaufform mit Butter bestreichen und Hühnchen mit Pilzen und allen Auflaufzutaten hineingeben.

Die Soße in einem geeigneten Topf zubereiten. Butter hinzufügen und bei mäßiger Hitze schmelzen.

Allzweckmehl einrühren und 2 Minuten lang gut verrühren, dann Milch, Hühnerbrühe, Zitronensaft und Sahne hinzufügen.

Gut vermischen und diese cremige weiße Soße über die Hühnermischung in der SearPlate gießen.

Übertragen Sie die SearPlate in den Ninja Foodi Digital Air Fryer Oven und schließen Sie die Tür.

Wählen Sie den Modus „Backen", indem Sie den Drehknopf drehen.

Drücken Sie die TIME/SLICES-Taste und ändern Sie den Wert auf 45 Minuten.

Drücken Sie die TEMP/SHADE-Taste und ändern Sie den Wert auf 350 °F.

Drücken Sie Start/Stopp, um mit dem Garen zu beginnen.

Warm servieren.

84. Ananas Hühnchen

Portionen: 4

Kochzeit: 18 Minuten

Zutaten:

2 Pfund Hähnchenschenkel, ohne Knochen

1/4 Tasse Ananassaft

1/4 Tasse Sojasauce

1/4 Tasse Ketchup

3/4 TL Knoblauch, gehackt

1/4 TL gemahlener Ingwer

1/2 Tasse brauner Zucker

Richtungen:

Wählen Sie den Luftfrittiermodus, stellen Sie die Temperatur auf 360 °F ein und stellen Sie den Timer auf 18 Minuten ein. Zum Vorheizen den Einstellknopf drücken.

Geben Sie Hühnchen, Knoblauch, Ingwer, Ananassaft, Sojasauce, Ketchup und braunen Zucker in einen Druckverschlussbeutel. Beutel verschließen und für 2 Stunden in den Kühlschrank stellen. Hähnchen aus der Marinade nehmen und in den Heißluftfritteusenkorb legen.

Sobald das Gerät vorgeheizt ist, öffnen Sie die Tür, stellen Sie den Heißluftfritteusenkorb auf die oberste Ebene des Ofens und schließen Sie die Tür.

Servieren und genießen.

85. Kräuterbutterhuhn

Portionen: 2
Kochzeit: 15 Minuten
Zutaten:
1½ Knoblauchzehen, gehackt
½ Teelöffel getrocknete Petersilie
⅛ Teelöffel getrockneter Rosmarin
⅛ Teelöffel getrockneter Thymian
2 Hähnchenbrusthälften ohne Haut und Knochen
¼ Tasse Butter, weich

Richtungen:
Schalten Sie Ihren Ninja Foodi Digital Air Fryer Oven ein und drehen Sie den Knopf, um „Broil" auszuwählen.
Decken Sie die SearPlate mit Aluminiumfolie ab und legen Sie das Hähnchen darauf.
Nehmen Sie eine kleine Schüssel und vermischen Sie Petersilie, Rosmarin, Thymian, Butter und Knoblauch.
Die Mischung auf dem Hähnchen verteilen.
Im Ofen mit Butter und Kräutern bestreut mindestens 30 Minuten bei niedriger Temperatur braten.
Warm servieren und genießen!

86. Orangenhuhn

Portionen: 4

Kochzeit: 35 Minuten

Zutaten:

4 Hähnchenbrüste, ohne Haut

1 TL Rosmarin, gehackt

1/4 Tasse Orangensaft

1/2 TL Olivenöl

Pfeffer

Salz

Richtungen:

Hähnchen mit Knoblauch und Öl einreiben. Mit Rosmarin und Pfeffer würzen.

Hähnchen in die Auflaufform legen. Orangensaft rund um das Hähnchen gießen.

Wählen Sie den Backmodus, stellen Sie dann die Temperatur auf 450 °F und die Backzeit auf 35 Minuten ein. Drücke Start.

Sobald der Ninja Foodi Digital Air Fryer Oven vorgeheizt ist, stellen Sie die Auflaufform in den Ofen.

Servieren und genießen.

87. Cajun-gebratene Hähnchenbrust

Portionen: 2

Kochzeit: 20 Minuten

Zutaten:

1 Pfund Hähnchenbrust, ungekocht und ohne Haut

2 Esslöffel Öl, geteilt

2 Esslöffel Cajun-Gewürz

3 Süßkartoffeln, geschält, in Würfel geschnitten

1 Tasse Brokkoli, in Röschen geschnitten

Salz und schwarzer Pfeffer nach Geschmack

Richtungen:

Nehmen Sie eine Schüssel und fügen Sie Öl und Cajun-Gewürz hinzu. Reiben Sie die Hähnchenbrust mit dem Rub ein.

Geben Sie das Huhn zusammen mit Brokkoli und Süßkartoffeln in die Ninja Foodie-Pfanne. Streuen Sie Salz und schwarzen Pfeffer darüber.

Schalten Sie den Ninja Foodi Digital Air Fryer Oven ein und wählen Sie „AIR ROAST" an Ihrem Ninja Foodi Digital Air Fryer Oven.

Stellen Sie den Timer auf 20 Minuten und die Temperatur auf 400 °F.

Sobald das Vorheizen abgeschlossen ist, geben Sie die Hähnchenpfanne in den Ofen.

Wenn die Innentemperatur des Huhns 165 °F erreicht, servieren Sie es und genießen Sie es.

88. Leckere Chicken Wings

Portionen: 6

Kochzeit: 12 Minuten

Zutaten:

6 Hühnerflügel

1/2 TL rote Chiliflocken

1 EL Honig

2 EL Worcestershire-Sauce

Pfeffer

Salz

Richtungen:

Alle Zutaten außer den Chicken Wings in eine Schüssel geben und gut vermischen.

Ordnen Sie die Hähnchenflügel in einem Heißluftfritteusenkorb an.

Wählen Sie Luftfrittieren, stellen Sie dann die Temperatur auf 350 °F und die Zeit für 12 Minuten ein. Drücke Start.

Sobald der Ninja Foodi Digital Air Fryer Oven vorgeheizt ist, stellen Sie den Korb in die oberen Schienen des Ofens.

Servieren und genießen.

89. Chinesische Hähnchenkeulen

Portionen: 4

Kochzeit: 20 Minuten

Zutaten:

1 Esslöffel Austernsauce

1 Teelöffel helle Sojasauce

½ Teelöffel Sesamöl

1 Teelöffel chinesisches Fünf-Gewürze-Pulver

Nach Bedarf Salz und gemahlener weißer Pfeffer

4 Hähnchenkeulen

1 Tasse Maismehl

Richtungen:

In einer Schüssel Saucen, Öl, Fünf-Gewürze-Pulver, Salz und schwarzen Pfeffer vermischen.

Die Hähnchenkeulen dazugeben und großzügig mit der Marinade bestreichen.

Mindestens 30-40 Minuten kühl stellen.

Geben Sie das Maismehl in eine flache Schüssel.

Das Hähnchen aus der Marinade nehmen und leicht mit Maismehl bestreichen.

Drücken Sie die AIR OVEN MODE-Taste des Ninja Foodi Digital Air Fryer Oven und drehen Sie den Drehknopf, um den „Air Fry"-Modus auszuwählen.

Drücken Sie die TIME/SLICES-Taste und drehen Sie den Drehknopf erneut, um die Garzeit auf 20 Minuten einzustellen.

Drücken Sie nun die TEMP/SHADE-Taste und drehen Sie den Drehknopf, um die Temperatur auf 390 °F einzustellen.

Drücken Sie zum Starten die „Start/Stopp"-Taste.

Wenn das Gerät mit einem Signalton anzeigt, dass es vorgeheizt ist, öffnen Sie die Ofentür und fetten Sie den Heißluftfrittierkorb ein.

Legen Sie die Hähnchenkeulen in den vorbereiteten Heißluftfrittierkorb und schieben Sie ihn in den Ofen.

Wenn die Garzeit abgelaufen ist, öffnen Sie die Ofentür und servieren Sie es heiß.

90. Leckere Hähnchenhäppchen

Portionen: 4

Kochzeit: 20 Minuten

Zutaten:

2 Pfund Hähnchenschenkel, in Stücke geschnitten

2 EL Olivenöl

1/2 TL Zwiebelpulver

1/2 TL Knoblauchpulver

1/4 Tasse frischer Zitronensaft

1/4 TL weißer Pfeffer

Pfeffer

Salz

Richtungen:

Wählen Sie den Luftfrittiermodus, stellen Sie die Temperatur auf 380 °F ein und stellen Sie den Timer auf 20 Minuten ein. Zum Vorheizen den Einstellknopf drücken.

Hähnchenstücke und die restlichen Zutaten in die große Schüssel geben und gut vermischen.

Abdecken und über Nacht in den Kühlschrank stellen.

Ordnen Sie das Hähnchen im Korb der Heißluftfritteuse an.

Sobald das Gerät vorgeheizt ist, öffnen Sie die Tür, stellen Sie den Heißluftfritteusenkorb auf die oberste Ebene des Ofens und schließen Sie die Tür.

Servieren und genießen.

91. Hähnchenbrust im Speckmantel

Portionen: 2

Kochzeit: 35 Minuten

Zutaten:

2 Hähnchenbrüste ohne Knochen und Haut

½ Teelöffel geräuchertes Paprikapulver

½ Teelöffel Knoblauchpulver

Nach Bedarf Salz und gemahlenen schwarzen Pfeffer

4 dünne Speckscheiben

Richtungen:

Mit einem Fleischhammer jede Hähnchenbrust auf eine Dicke von ¾ Zoll klopfen.

In einer Schüssel Paprika, Knoblauchpulver, Salz und schwarzen Pfeffer vermischen.

Die Hähnchenbrüste gleichmäßig mit der Gewürzmischung einreiben.

Jede Hähnchenbrust mit Speckstreifen umwickeln.

Drücken Sie die AIR OVEN MODE-Taste des Ninja Foodi Digital Air Fryer Oven und drehen Sie den Drehknopf, um den „Air Fry"-Modus auszuwählen.

Drücken Sie die TIME/SLICES-Taste und drehen Sie den Drehknopf erneut, um die Garzeit auf 35 Minuten einzustellen.

Drücken Sie nun die TEMP/SHADE-Taste und drehen Sie den Drehknopf, um die Temperatur auf 400 °F einzustellen.

Drücken Sie zum Starten die „Start/Stopp"-Taste.

Wenn das Gerät durch einen Signalton anzeigt, dass es vorgeheizt ist, öffnen Sie die Ofentür.

Die Hähnchenteile in den gefetteten Heißluftfrittierkorb legen und in den Ofen schieben.

Wenn die Garzeit abgelaufen ist, öffnen Sie die Ofentür und servieren Sie es heiß.

92. Luftgebratenes Hähnchenfilet

Portionen: 6

Kochzeit: 9 Minuten

Zutaten:

½ Tasse frisches Basilikum

¼ Tasse frischer Koriander

1 Esslöffel Olivenöl

1 Teelöffel Knoblauch, gehackt

1 Pfund Hähnchenfilet

Richtungen:

Frischen Koriander und Basilikum in einen Mixer geben.

Olivenöl und gehackten Knoblauch hinzufügen und gut umrühren. Das Filet in mittelgroße Stücke schneiden, die Basilikummischung dazugeben und umrühren.

Ordnen Sie die Auffangschale am Boden des Garraums des Heißluftfrittierofens an.

Heizen Sie Ihren Ninja Foodi Digital Air Fryer Oven im „AIR FRY"-Modus auf 360 °F vor.

Geben Sie die Tender in den Ofen und kochen Sie sie 9 Minuten lang. Gut umrühren.

Nach dem Garen abkühlen lassen und servieren.

Genießen!

93. Leckeres japanisches Hühnchen

Portionen: 4

Kochzeit: 10 Minuten

Zutaten:

1 1/2 Pfund Hähnchenschenkel, ohne Knochen und in 2-Zoll-Stücke geschnitten

1 TL Knoblauch, gehackt

1 TL brauner Zucker

1 EL Reisweinessig

3 EL Sojasauce

2 TL Ingwer, gerieben

1/2 Tasse Maisstärke

Richtungen:

Wählen Sie den Luftfrittiermodus, stellen Sie die Temperatur auf 400 °F ein und stellen Sie den Timer auf 10 Minuten ein. Zum Vorheizen den Einstellknopf drücken.

In eine Rührschüssel Hühnchen, Ingwer, Knoblauch, braunen Zucker, Essig und Sojasauce geben und gut vermischen.

Abdecken und über Nacht in den Kühlschrank stellen.

Hähnchen aus der Marinade nehmen und mit Maisstärke vermischen.

Ordnen Sie das Hähnchen im Korb der Heißluftfritteuse an.

Sobald das Gerät vorgeheizt ist, öffnen Sie die Tür, stellen Sie den Heißluftfritteusenkorb auf die oberste Ebene des Ofens und schließen Sie die Tür.

Servieren und genießen.

94. Hähnchen-Patties

Portionen: 4

Kochzeit: 25 Minuten

Zutaten:

1 Ei

1 Pfund gemahlenes Hühnchen

2 Tassen Brokkoli, gekocht und gehackt

1/2 Tasse Semmelbrösel

1 1/2 Tassen Mozzarella-Käse, gerieben

Pfeffer

Salz

Richtungen:

Alle Zutaten in die große Schüssel geben und gut verrühren.

Aus der Mischung kleine Pastetchen formen und auf ein Blech legen.

Wählen Sie den Backmodus, stellen Sie dann die Temperatur auf 390 °F und die Backzeit auf 25 Minuten ein. Drücke Start.

Sobald der Ninja Foodi Digital Air Fryer Oven vorgeheizt ist, stellen Sie das Blech in den Ofen.

Die Patties nach 15 Minuten wenden.

Servieren und genießen.

95. Mariniertes Ranch-Grillhähnchen

Portionen: 1

Kochzeit: 15 Minuten

Zutaten:

1 Esslöffel Olivenöl

½ Esslöffel Rotweinessig

2 Esslöffel trockene Dressingmischung im Ranch-Stil

1 Hähnchenbrusthälfte, ohne Haut und ohne Knochen

Richtungen:

Nehmen Sie eine Schüssel und vermischen Sie Dressing, Öl und Essig.

Geben Sie das Hähnchen hinein und vermischen Sie es, bis es gut bedeckt ist.

Etwa eine Stunde kühl stellen.

Schalten Sie Ihren Ninja Foodi Digital Air Fryer Oven ein und drehen Sie den Knopf, um „Broil" auszuwählen.

Stellen Sie den Timer auf 15 Minuten und die Temperatur auf hoch. Drücken Sie die Start/Stopp-Taste, um mit dem Vorheizen zu beginnen.

Wenn das Gerät piept, um anzuzeigen, dass es vorgeheizt ist, legen Sie das Hähnchen auf die SearPlate und braten Sie es etwa 15 Minuten lang, bis das Hähnchen durchgegart ist.

Warm servieren und genießen!

96. Gebackenes Hühnchen mit Zitronenpfeffer

Portionen: 4

Kochzeit: 30 Minuten

Zutaten:

4 Hähnchenbrüste, ohne Haut und ohne Knochen

1 TL Zitronenpfeffergewürz

4 TL Zitronensaft

4 TL Butter, in Scheiben geschnitten

1/2 TL Paprika

1 TL Knoblauchpulver

Pfeffer

Salz

Richtungen:

Stellen Sie den Rost in die untere Position und schließen Sie die Tür. Wählen Sie den Backmodus, stellen Sie die Temperatur auf 350 °F und den Timer auf 30 Minuten ein. Zum Vorheizen den Einstellknopf drücken.

Hähnchen mit Pfeffer und Salz würzen und in die Auflaufform legen.

Zitronensaft über das Hähnchen gießen.

Paprika, Zitronenpfeffergewürz und Knoblauchpulver vermischen und über das Huhn streuen.

Butterscheiben auf das Hähnchen legen.

Sobald das Gerät vorgeheizt ist, öffnen Sie die Tür, stellen Sie die Auflaufform in die Mitte des Rosts und schließen Sie die Tür.

Servieren und genießen.

97. Hähnchen-Kartoffel-Auflauf

Portionen: 4

Kochzeit: 25 Minuten.

Zutaten:

4 Kartoffeln, gewürfelt

1 Esslöffel Knoblauch, gehackt

1,5 Esslöffel Olivenöl

⅛ Teelöffel Salz

⅛ Teelöffel Pfeffer

1,5 Pfund Hähnchen ohne Knochen und ohne Haut

¾ Tasse Mozzarella-Käse, gerieben

Petersilie, gehackt

Richtungen:

Hähnchen und Kartoffeln mit allen Gewürzen und Öl in einer SearPlate vermischen.

Den Käse über das Hähnchen und die Kartoffeln träufeln.

Übertragen Sie die SearPlate in den Ninja Foodi Digital Air Fryer Oven und schließen Sie die Tür.

Wählen Sie den Modus „Backen", indem Sie den Drehknopf drehen.

Drücken Sie die TIME/SLICES-Taste und ändern Sie den Wert auf 25 Minuten.

Drücken Sie die TEMP/SHADE-Taste und ändern Sie den Wert auf 375 °F.

Drücken Sie Start/Stopp, um mit dem Garen zu beginnen.

Warm servieren.

Bratreiben

98. Französisches Tourtiere-Gewürz

Zutaten

99. 1 Teelöffel Selleriesalz, 1/4 Teelöffel Senfpulver
100.   1/2 Teelöffel gemahlener schwarzer Pfeffer
101.   1/2 Teelöffel zerstoßenes Bohnenkraut
102.   1/2 Teelöffel gemahlene Nelken
103.   1/2 Teelöffel gemahlener Zimt
104.   1/2 Teelöffel gemahlener Thymian
105.   1/4 Teelöffel gemahlener Salbei

Richtungen

1. Nehmen Sie eine Schüssel und sieben oder mischen Sie gleichmäßig: Senfpulver, Selleriesalz, Salbei, Pfeffer, Thymian, Bohnenkraut, Zimt und Nelken.
2. Besorgen Sie sich Ihren luftdichten Behälter und bewahren Sie die Trockenmischung zur weiteren Verwendung auf.

99. Karibisches Curry

Zutaten

106. 1/4 C. ganze Koriandersamen
107. 5 Esslöffel gemahlene Kurkuma
108. 2 Esslöffel ganze Kreuzkümmelsamen
109. 2 Esslöffel ganze Senfkörner
110. 2 Esslöffel ganze Anissamen
111. 1 Esslöffel ganze Bockshornkleesamen
112. 1 Esslöffel ganze Pimentbeeren

Richtungen

1. Koriandersamen, Kreuzkümmelsamen, Senfkörner, Anissamen, Bockshornkleesamen und Pimentbeeren in einer Pfanne vermengen.
2. Bei mittlerer Hitze ca. 10 Minuten rösten, bis die Farbe der Gewürze leicht dunkler wird und die Gewürze stark duften. Nehmen Sie die Gewürze aus der Pfanne und lassen Sie sie auf Raumtemperatur abkühlen. Mahlen Sie die Gewürze mit der Kurkuma in einer Gewürzmühle. In einem luftdichten Behälter bei Raumtemperatur aufbewahren.
3. Erhitzen Sie es heiß ohne Öl und rösten Sie Folgendes 11 Minuten lang: Pimentbeeren, Koriandersamen, Bockshornkleesamen, Kreuzkümmelsamen, Anissamen und Senfkörner.
4. Besorgen Sie sich einen Mörser und Stößel und mahlen Sie alle gerösteten Gewürze ebenfalls mit Kurkuma.
5. Geben Sie alles in Ihre Vorratsbehälter.

100.   Cajun-Gewürzmischung

Zutaten

37. 2 Teelöffel Salz
38. 2 Teelöffel Knoblauchpulver
39. 2 1/2 Teelöffel Paprika
90. 1 Teelöffel gemahlener schwarzer Pfeffer
91. 1 Teelöffel Zwiebelpulver
92. 1 Teelöffel Cayennepfeffer 1 1/4 Teelöffel getrockneter Oregano Zubereitung
93. 1 1/4 Teelöffel getrockneter Thymian
94. 1/2 Teelöffel rote Paprikaflocken (optional)

Richtungen

1. Nehmen Sie eine Schüssel und mischen oder sieben Sie gleichmäßig: rote Pfefferflocken, Salz, Thymian, Knoblauchpulver, Oregano, Paprika, Cayennepfeffer, Zwiebelpulver und schwarzen Pfeffer.
2. Besorgen Sie sich einen guten, luftdichten Behälter und bewahren Sie Ihre Mischung auf.

ABSCHLUSS

Gebratenes Hühnchen ist ein Gericht, das sich bewährt hat und bei vielen immer noch ein Favorit ist. Sein knuspriges Äußeres und sein saftiges Inneres machen es zu einem Wohlfühlessen, das Menschen jeden Alters und jeder Herkunft genießen. Obwohl es vielleicht nicht die gesündeste Mahlzeit ist, ist es ein Gericht, das Menschen zusammenbringt und Gefühle von Wärme und Glück hervorruft. Ganz gleich, ob Sie es zu Hause zubereiten oder im Restaurant genießen: Brathähnchen ist ein echter Klassiker, der noch über Generationen hinweg ein beliebtes Gericht sein wird.

Milton Keynes UK
Ingram Content Group UK Ltd.
UKHW020726120923
428521UK00014B/605